biblio

Le Capitaine Fracasse

Théophile Gautier

Notes, questionnaires et dossier Bibliocollège
par Isabelle DE LISLE,
agrégée de Lettres modernes,
professeur en collège et en lycée

Crédits photographiques

pp. 4, 5, 7, 9, 15, 21, 29, 32, 37, 41, 56, 60, 65, 67, 70, 74, 87, 95, 105, 109, 112, 116, 123, 125, 128, 131, 135, 136, 142, 157, 158, 165, 166, 173, 175, 179, 182, 199, 211 : © Photothèque Hachette Livre. **p. 223 :** © Prod.

Conception graphique

Couverture : *Laurent Carré*

Intérieur : *ELSE*

Mise en page

Médiamax

Illustration des questionnaires

Harvey Stevenson

Dossier pédagogique téléchargeable gratuitement sur :
www.enseignants.hachette-education.com

⊞ hachette s'engage pour
l'environnement en réduisant
l'empreinte carbone de ses livres.
Celle de cet exemplaire est de :
550 g éq. CO₂
Rendez-vous sur
www.hachette-durable.fr

PAPIER À BASE DE
FIBRES CERTIFIÉES

ISBN : 978-2-01-169126-2

Achevé d'imprimer en Mai 2021 en Espagne par Black Print
Dépôt légal : Août 2005 – Édition 12 – 16/9126/0

Sommaire

Le baron de Sigognac.

Introduction

Intrinsèquement, le titre de ce récit, *Le Capitaine Fracasse*, est tout un programme. Le grade militaire et le nom propre qui l'accompagne suggèrent aventures, duels, et tous les rebondissements d'une vie tumultueuse…

En réalité, le « capitaine Fracasse » est un emploi ; c'est-à-dire un rôle défini au théâtre. Les aventures seront-elles alors illusoires, les coups d'épée factices, les passions de façade ? On pourrait le croire en lisant les premiers chapitres car le personnage destiné à tenir le rôle de capitaine Fracasse est un jeune homme bien falot. Aristocrate qui vit reclus dans son « château de la misère » et dernier maillon d'une famille ruinée, le baron de Sigognac ne paraît pas avoir l'étoffe d'un héros. C'est par amour pour une comédienne, Isabelle, et par désespoir qu'il se décide à accompagner la troupe d'acteurs qu'il a hébergée un soir chez lui, dans son château abandonné. L'entrée en scène du héros dans le roman est loin d'être « fracassante »… Mais, lorsque le

baron de Sigognac sera devenu, sur les planches, le fringant capitaine Fracasse, il prendra de l'assurance et deviendra pleinement le héros d'un roman d'aventures. On le verra capable de déjouer les complots, de battre en duel le terrible duc de Vallombreuse, d'arracher sa bien-aimée aux griffes de celui qui l'a kidnappée.

Le Capitaine Fracasse est bien un roman d'aventures et un roman d'amour en même temps. Les intrigues amoureuses, passionnées ou légères, s'entrecroisent pour le plus grand plaisir du lecteur qui se réjouit autant de l'amour profond qui unit le baron à Isabelle que des amours, plus libertines, de la marquise et du marquis de Bruyères. Sans oublier les mésaventures amoureuses de Léandre… La tragédie et la comédie se croisent sans se nuire, conformément à l'esthétique romantique que Théophile Gautier défend ardemment dans sa jeunesse.

Dans *Le Capitaine Fracasse*, le romanesque sentimental et les péripéties du récit d'aventures se jouent sur le mode dramatique mais aussi sur le registre parodique. Du côté des genres, on observe le même mélange. L'œuvre s'inscrit dans le genre du roman sans aucun doute, mais certains passages sont de véritables scènes de théâtre et l'on sait que Gautier était fasciné par le monde des comédiens.

Par-delà le mélange des genres qui caractérise l'esthétique romantique, ce qui rend *Le Capitaine Fracasse* si complexe et si séduisant, c'est sans doute aussi sa longue genèse. Annoncé dans les catalogues des libraires dès 1836, il est d'abord un projet de jeunesse. Ce n'est qu'une trentaine d'années plus tard que l'œuvre verra le jour. Gautier n'est plus le jeune romantique enthousiaste de la « bataille d'*Hernani* ». Sa conception de l'art a évolué et ses poèmes, comme ses romans, traduisent une réelle maîtrise de la langue et des nuances, un souci inégalé du détail.

Cette édition présente un texte abrégé afin de rendre plus aisément accessible aux jeunes lecteurs d'aujourd'hui l'un des grands romans de notre patrimoine littéraire.

Le château de la misère

Sur le revers d'une de ces collines décharnées qui bossuent les Landes, entre Dax[1] et Mont-de-Marsan[2], s'élevait, sous le règne de Louis XIII, une de ces
5 gentilhommières[3] si communes en Gascogne, et que les villageois décorent du nom de château.

Deux tours rondes, coiffées de toits en éteignoir[4], flanquaient les angles d'un bâtiment, sur la façade duquel deux rainures profondément entaillées trahissaient l'exis-
10 tence primitive d'un pont-levis réduit à l'état de siné-cure[5] par le nivelage du fossé, et donnaient au manoir un aspect féodal, avec leurs échauguettes[6] en poivrière et leurs girouettes à queue d'aronde[7]. Une nappe de lierre

notes

1. Dax : ville de la région des Landes.

2. Mont-de-Marsan : ville de la région des Landes.

3. gentilhommières : petits châteaux, à la campagne.

4. en éteignoir : en forme de cône.

5. sinécure : situation dans laquelle on est payé à ne rien faire ; il s'agit ici du pont-levis inutilisé.

6. échauguettes : petites tours de guet à l'angle du château.

7. aronde : hirondelle.

enveloppant à demi l'une des tours tranchait heureusement
par son vert sombre sur le ton gris de la pierre déjà vieille à
cette époque.

Le voyageur qui eût aperçu de loin le castel[1] dessinant
ses faîtages[2] pointus sur le ciel, au-dessus des genêts et des
bruyères, l'eût jugé une demeure convenable pour un hobereau[3] de province ; mais, en approchant, son avis se fût modifié. Le chemin qui menait de la route à l'habitation s'était
réduit, par l'envahissement de la mousse et des végétations
parasites, à un étroit sentier blanc semblable à un galon terni
sur un manteau râpé. Deux ornières[4] remplies d'eau de pluie
et habitées par des grenouilles témoignaient qu'ancien-
nement des voitures avaient passé par là ; mais la sécurité de
ces batraciens montrait une longue possession et la certitude
de n'être pas dérangés. – Sur la bande frayée à travers les
mauvaises herbes, et détrempée par une averse récente, on
ne voyait aucune empreinte de pas humain, et les brindilles
de broussailles, chargées de gouttelettes brillantes, ne parais-
saient pas avoir été écartées depuis longtemps.

[Théophile Gautier nous amène progressivement à entrer dans
le jardin puis dans « la solitude désolée du logis ».]

Comme le lecteur doit être las de cette promenade à
travers la solitude, la misère et l'abandon, menons-le à la
seule pièce un peu vivante du château désert, à la cuisine,
dont la cheminée envoyait au ciel ce léger nuage blanchâtre
mentionné dans la description extérieure du castel.

---

notes

1. castel : château.
2. faîtages : toitures.

3. hobereau : petit
noble de province.

4. ornières : trous creusés
par les roues des voitures.

Le château de la misère.

Un maigre feu léchait de ses langues jaunes la plaque de la cheminée, et de temps en temps atteignait le fond d'un coquemar[1] de fonte pendu à la crémaillère[2], et sa faible réverbération allait piquer dans l'ombre une paillette rougeâtre au bord des deux ou trois casseroles attachées au mur. Le jour qui tombait par le large tuyau montant jusqu'au toit, sans faire de coude, s'assoupissait sur les cendres en teintes bleuâtres et faisait paraître le feu plus pâle, en sorte que dans cet âtre[3] froid la flamme même semblait gelée. Sans la précaution du couvercle il eût plu dans la marmite, et l'orage eût allongé le bouillon.

L'eau lentement échauffée avait fini par se mettre à gronder, et le coquemar râlait dans le silence comme une personne asthmatique : quelques feuilles de choux, débordant avec l'écume, indiquaient que la portion cultivée du jardin avait été prise à contribution pour ce brouet[4] plus que spartiate[5].

Un vieux chat noir, maigre, pelé comme un manchon[6] hors d'usage et dont le poil tombé laissait voir par places la peau bleuâtre, était assis sur son derrière aussi près du feu que cela était possible sans se griller les moustaches, et fixait sur la marmite ses prunelles vertes traversées d'une pupille en forme d'I avec un air de surveillance intéressée. Ses oreilles avaient été coupées au ras de la tête et sa queue au ras de l'échine, ce qui lui donnait la mine de ces chimères[7] japonaises qu'on place dans les cabinets parmi les autres

---

notes

1. coquemar : sorte de chaudron.

2. crémaillère : dans la cheminée, tige de fer à laquelle on suspend les marmites.

3. âtre : cheminée.

4. brouet : bouillon léger.

5. spartiate : austère.

6. manchon : vêtement, sorte de cylindre de fourrure dans lequel on glisse ses mains au chaud.

7. chimères : monstres fabuleux.

curiosités, ou bien encore de ces animaux fantastiques à qui
65 les sorcières, allant au sabbat[1], confient le soin d'écumer le
chaudron où bouillent leurs philtres[2].

Ce chat tout seul, dans cette cuisine, semblait faire la
soupe pour lui-même, et c'était sans doute lui qui avait
disposé sur la table de chêne une assiette à bouquets verts et
70 rouges, un gobelet d'étain, fourbi[3] sans doute avec ses griffes
tant il était rayé, et un pot de grès sur les flancs duquel se
dessinaient grossièrement, en traits bleus, les armoiries du
porche, de la clef de voûte et des portraits.

Qui devait s'asseoir à ce modeste couvert apporté dans
75 ce manoir sans habitants ? peut-être l'esprit familier de la
maison, le *genius loci*[4], le Kobold[5] fidèle au logis adopté, et le
chat noir à l'œil si profondément mystérieux attendait sa
venue pour le servir la serviette sur la patte.

La marmite bouillait toujours, et le chat restait immobile
80 à son poste, comme une sentinelle qu'on a oublié de relever.
Enfin un pas se fit entendre, pas lourd et pesant, celui d'une
personne âgée ; une petite toux préalable résonna, le loquet
de la porte grinça, et un bonhomme, moitié paysan, moitié
domestique, fit son entrée dans la cuisine.

85 À l'apparition du nouveau venu, le chat noir, qui semblait
lié de longue date avec lui, quitta les cendres de l'âtre et se
vint frotter amicalement contre ses jambes, arquant le dos,
ouvrant et refermant ses griffes, en faisant sortir de sa gorge
ce murmure enroué qui est le plus haut signe de satisfaction
90 chez la race féline.

---

notes

1. sabbat : assemblée nocturne des sorciers et sorcières.

2. philtres : boissons magiques.

3. fourbi : astiqué.

4. genius loci : en latin, le « génie du lieu ».

5. Kobold : génie familier de la maison (folklore germanique).

« Bien, bien, Béelzébuth, dit le vieillard en se courbant pour passer à deux ou trois reprises sa main calleuse[1] sur le dos pelé du chat, afin de n'être pas en reste de politesse avec un animal ; je sais que tu m'aimes, et nous sommes assez seuls ici, mon pauvre maître et moi, pour n'être pas insensibles aux caresses d'une bête dénuée[2] d'âme, mais qui pourtant semble vous comprendre. »

95

[Le vieillard est Pierre, le domestique du baron de Sigognac. Le baron fait ensuite son entrée.]

Le baron de Sigognac, car c'était bien le seigneur de ce castel démantelé qui venait d'entrer dans la cuisine, était un jeune homme de vingt-cinq ou vingt-six ans, quoique au premier abord on lui en eût attribué peut-être davantage, tant il paraissait grave et sérieux. Le sentiment de l'impuissance, qui suit la pauvreté, avait fait fuir la gaieté de ses traits et tomber cette fleur printanière qui veloute les jeunes visages. Des auréoles de bistre[3] cerclaient déjà ses yeux meurtris[4], et ses joues creusées accusaient assez fortement la saillie des pommettes ; ses moustaches, au lieu de se retrousser gaillardement en crocs, portaient la pointe basse et semblaient pleurer auprès de sa bouche triste ; ses cheveux négligemment peignés, pendaient par mèches noires au long de sa face pâle avec une absence de coquetterie rare dans un jeune homme qui eût pu passer pour beau, et montraient une renonciation absolue à toute idée de plaire. L'habitude d'un chagrin secret avait fait prendre des plis douloureux

100

105

110

---

notes

1. **calleuse :** rugueuse.
2. **dénuée :** privée.

3. **bistre :** couleur brun jaunâtre.
4. **meurtris :** ici, fatigués.

115 à une physionomie qu'un peu de bonheur eût rendue charmante, et la résolution naturelle à cet âge y paraissait plier devant une mauvaise fortune[1] inutilement combattue.

Quoique agile et d'une constitution plutôt robuste que faible, le jeune baron se mouvait avec une lenteur apa
120 thique[2], comme quelqu'un qui a donné sa démission de la vie. Son geste était endormi et mort, sa contenance inerte, et l'on voyait qu'il lui était parfaitement égal d'être ici ou là, parti ou revenu.

Sa tête était coiffée d'un vieux feutre[3] grisâtre, tout bos
125 sué et tout rompu, beaucoup trop large, qui lui descendait jusqu'aux sourcils et le forçait, pour y voir, à relever le nez. Une plume, que ses barbes rares faisaient ressembler à une arête de poisson, s'adaptait au chapeau, avec l'intention visible d'y figurer un panache, et retombait flasquement[4]
130 par-derrière comme honteuse d'elle-même. Un col d'une guipure[5] antique, dont tous les jours n'étaient pas dus à l'habileté de l'ouvrier et auquel la vétusté ajoutait plus d'une découpure, se rabattait sur son justaucorps[6] dont les plis flottants annonçaient qu'il avait été taillé pour un homme
135 plus grand et plus gros que le fluet[7] baron. Les manches de son pourpoint[8] cachaient les mains comme les manches d'un froc[9], et il entrait jusqu'au ventre dans ses bottes à chaudron[10], ergotées[11] d'un éperon[12] de fer. Cette défroque[13]

notes

1. fortune : chance, destin.

2. apathique : sans énergie.

3. feutre : chapeau de feutre (laine épaisse).

4. flasquement : mollement.

5. guipure : sorte de dentelle, avec des mailles très espacées entre les motifs.

6. justaucorps : veste courte resserrée à la taille.

7. fluet : mince, fragile.

8. pourpoint : veste courte.

9. froc : vêtement des moines.

10. à chaudron : à larges genouillères.

11. ergotées : munies d'une pointe ressemblant à l'ergot de certains animaux comme le coq.

12. éperon : pointe métallique destinée à piquer le cheval.

13. défroque : vêtement démodé.

hétéroclite[1] était celle de feu son père, mort depuis quelques
140 années, et dont il achevait d'user les habits, déjà mûrs pour
le fripier à l'époque du décès de leur premier possesseur.
Ainsi accoutré de ces vêtements, peut-être fort à la mode au
commencement de l'autre règne, le jeune baron avait l'air à
la fois ridicule et touchant ; on l'eût pris pour son propre
145 aïeul.

[« Le jeune baron, unique survivant de la famille Sigognac », est
un homme ruiné. Ses ancêtres ont, génération après génération,
dilapidé le bien de la famille. Orphelin de mère puis de père, il
vit dans son château en ruine avec son fidèle serviteur, le vieux
Pierre, son chat Béelzébuth et son chien Miraut.
Le baron de Sigognac est prêt à se coucher quand il est tiré de
sa mélancolie par d'étranges visiteurs.]

Trois coups frappés assez violemment à la porte du castel
retentirent à intervalles mesurés et firent gémir les échos des
chambres vides.
Qui pouvait à cette heure venir troubler la solitude du
150 manoir et le silence de la nuit ? Quel voyageur malavisé[2]
heurtait à cette porte qui ne s'était pas ouverte depuis si
longtemps pour un hôte, non par manque de courtoisie de
la part du maître, mais par l'absence de visiteurs ? Qui
demandait à être reçu dans cette auberge de la famine, dans
155 cette cour plénière du Carême, dans cet hôtel de misère et
de lésine[3] ?

notes

1. hétéroclite : fait
de pièces diverses,
sans unité.

2. malavisé : peu sage.

3. lésine : économie,
avarice.

Le chariot de Thespis

Sigognac descendit l'escalier, protégeant sa lampe avec sa main contre les courants d'air qui menaçaient de l'éteindre. Le reflet de la flamme pénétrait ses phalanges
5 amincies et les teignait d'un rouge diaphane[1], en sorte que, quoique ce fût la nuit et qu'il marchât suivi d'un chat noir au lieu de précéder le soleil, il méritait l'épithète appliquée par le bon Homère[2] aux doigts de l'Aurore.

Il abaissa la barre de la porte, entrouvrit le battant
10 mobile, et se trouva en face d'un personnage au nez duquel il porta sa lampe.

[...]

« Daignez m'excuser, notre châtelain, si je viens frapper moi-même à la poterne[3] de votre forteresse sans me faire

notes

1. diaphane : qui laisse passer la lumière.

2. Homère : auteur grec de l'*Iliade* et de l'*Odyssée*.

3. poterne : petite porte percée dans la muraille.

précéder d'un page ou d'un nain sonnant du cor, et cela à une heure avancée. Nécessité n'a pas de loi et force les gens du monde les plus polis à des barbarismes de conduite.

– Que voulez-vous ? interrompit assez sèchement le baron ennuyé par le verbiage[1] du vieux drôle.

– L'hospitalité pour moi et mes camarades, des princes et des princesses, des Léandres et des Isabelles, des docteurs et des capitaines[2] qui se promènent de bourgs en villes sur le chariot de Thespis[3], lequel chariot, traîné par des bœufs à la manière antique, est maintenant embourbé à quelques pas de votre château.

– Si je comprends bien ce que vous dites, vous êtes des comédiens de province en tournée et vous avez dévié du droit chemin.

– On ne saurait mieux élucider mes paroles, répondit l'acteur, et vous parlez de cire[4]. Puis-je espérer que Votre Seigneurie m'accorde ma requête ?

– Quoique ma demeure soit assez délabrée et que je n'aie pas grand-chose à vous offrir, vous y serez toujours un peu moins mal qu'en plein air par une pluie battante. »

Le Pédant, car tel paraissait être son emploi dans la troupe, s'inclina en signe d'assentiment[5].

Pendant ce colloque[6], Pierre, éveillé par les abois de Miraut, s'était levé et avait rejoint son maître sous le porche. Mis au fait de ce qui se passait, il alluma une lanterne, et tous trois se dirigèrent vers la charrette embourbée.

---

notes

1. verbiage : bavardage creux et prétentieux.

2. Léandres [...] capitaines : rôles conventionnels au théâtre.

3. Thespis : poète tragique grec supposé avoir transporté sur son chariot la première troupe d'acteurs ambulants.

4. vous parlez de cire : vous vous exprimez de manière parfaite.

5. assentiment : accord, approbation.

6. colloque : discussion.

40   Le Léandre et le Matamore poussaient à la roue, et le Roi piquait les bœufs de son poignard tragique. Les femmes, enveloppées de leurs manteaux, se désespéraient, geignaient[1] et poussaient de petits cris. Ce renfort inattendu et surtout l'expérience de Pierre eurent bientôt fait franchir le mauvais
45 pas au lourd chariot qui, dirigé sur un terrain plus ferme, atteignit le château, passa sous la voûte ogivale[2] et fut rangé dans la cour.

    Les bœufs dételés allèrent prendre place à l'écurie à côté du bidet[3] blanc ; les comédiennes sautèrent à bas de la
50 charrette, faisant bouffer leurs jupes fripées, et montèrent, guidées par Sigognac, dans la salle à manger, la pièce la plus habitable de la maison. Pierre trouva au fond du bûcher un fagot et quelques brassées de broussailles qu'il jeta dans la cheminée et qui se mirent à flamber joyeusement.
55 Quoiqu'on ne fût encore qu'au début de l'automne, un peu de feu était nécessaire pour sécher les vêtements humides de ces dames ; d'ailleurs la nuit était fraîche et l'air sifflait par les boiseries disjointes de cette pièce inhabitée.

    Les comédiens, bien qu'habitués par leur vie errante aux
60 gîtes les plus divers, regardaient avec étonnement cet étrange logis que les hommes semblaient avoir abandonné depuis longtemps aux esprits et qui faisait naître involontairement des idées d'histoires tragiques ; pourtant ils n'en témoignaient, en personnes bien élevées, ni terreur ni surprise.

65   « Je ne puis vous donner que le couvert, dit le jeune baron, mon garde-manger ne renferme pas de quoi faire souper une souris. Je vis seul en ce manoir, ne recevant jamais personne, et vous voyez, sans que je vous le dise, que la fortune n'habite pas céans[4].

notes

1. geignaient : gémissaient, se plaignaient.

2. ogivale : selon l'architecture gothique.

3. bidet : petit cheval.

4. céans : ici.

70   — Qu'à cela ne tienne, répliqua le Pédant ; si, au théâtre, l'on nous sert des poulets de carton et des bouteilles de bois tourné, nous nous précautionnons[1], pour la vie ordinaire, de mets plus substantiels[2]. Ces viandes creuses et ces boissons imaginaires iraient mal à nos estomacs, et, en qualité de 75 munitionnaire[3] de la troupe, je tiens toujours en réserve quelque jambon de Bayonne, quelque pâté de venaison[4], quelque longe de veau de Rivière, avec une douzaine de flacons de vin de Cahors et de Bordeaux.

   — Bien parlé, Pédant, exclama le Léandre ; va chercher les 80 provisions, et, si ce seigneur le permet et daigne souper avec nous, dressons ici même la table du festin. Il y a dans ces buffets assez de vaisselle, et ces dames mettront le couvert. »

[Le repas se prépare puis tous se mettent à table.]

   Le baron donna la main à donna Sérafina, qu'il fit asseoir à sa droite. Isabelle prit place à gauche, la soubrette se mit en 85 face, la duègne s'établit à côté du Pédant, Léandre et le Matamore s'assirent où ils voulurent. Le jeune maître du château put alors étudier tout à son aise les physionomies[5] de ses hôtes vivement éclairées et ressortant avec un plein relief. Son examen porta d'abord sur les femmes, dont il ne 90 serait pas hors de propos de tirer ici un léger crayon, tandis que le Pédant pratique une brèche aux remparts du pâté.

   La Sérafina était une jeune femme de vingt-quatre à vingt-cinq ans, à qui l'habitude de jouer les grandes coquettes

---

notes

1. nous nous précautionnons : nous prévoyons.

2. substantiels : consistants, nourrissants.

3. munitionnaire : responsable de l'approvisionnement.

4. venaison : gros gibier comme le sanglier.

5. physionomies : expressions du visage.

avait donné l'air du monde et autant de manège qu'à une
95   dame de cour. Sa figure, d'un ovale un peu allongé, son nez
légèrement aquilin[1], ses yeux gris à fleur de tête, sa bouche
rouge, dont la lèvre inférieure était coupée par une petite raie,
comme celle d'Anne d'Autriche, et ressemblait à une cerise,
lui composaient une physionomie avenante[2] et noble à
100 laquelle contribuaient encore deux cascades de cheveux châ-
tains descendant par ondes au long de ses joues, où l'animation et la chaleur avaient fait paraître de jolies couleurs roses.
Deux longues mèches, appelées moustaches et nouées chacune par trois rosettes de ruban noir, se détachaient capri-
105 cieusement des crêpelures[3] et en faisaient valoir la grâce vapo-
reuse comme des touches de vigueur que donne un peintre
au tableau qu'il termine. Son chapeau de feutre à bord rond,
orné de plumes dont la dernière se contournait en panache
sur les épaules de la dame, et les autres se recroquevillaient en
110 bouillons, coiffait cavalièrement la Sérafina ; un col d'homme
rabattu, garni d'un point d'Alençon[4] et noué d'une bouffette[5]
noire, de même que les moustaches, s'étalait sur une robe de
velours vert à manches crevées, relevées d'aiguillettes[6] et de
brandebourgs[7], et dont l'ouverture laissait bouillonner le linge ;
115 une écharpe de soie blanche, posée en bandoulière, achevait
de donner à cette mise un air galant et décidé.

Ainsi attifée, Sérafina avait une mine de Penthésilée[8] et
de Marphise[9] très propre aux aventures et aux comédies de

---

notes

1. aquilin : en bec d'aigle.

2. avenante : agréable
à regarder, aimable.

3. crêpelures : ondulations.

4. Alençon : ville réputée
pour ses dentelles.

5. bouffette : petite touffe
de rubans.

6. aiguillettes : cordons
ferrés aux extrémités
servant à fermer
un vêtement.

7. brandebourgs :
décorations autour
des boutonnières.

8. Penthésilée : reine
des Amazones.

9. Marphise : nom d'une
guerrière dans le *Roland
furieux* de l'Arioste, auteur
italien du XVIe siècle.

cape et d'épée. Sans doute tout cela n'était pas de la première
120 fraîcheur, l'usage avait miroité par places le velours de la
jupe, la toile de Frise était un peu fripée, les dentelles eussent
paru rousses au grand jour ; les broderies de l'écharpe, à les
regarder de près, rougissaient et trahissaient le clinquant ;
plusieurs aiguillettes avaient perdu leurs ferrets, et la passe-
125 menterie[1] éraillée des brandebourgs se défilait par endroits ;
les plumes énervées battaient flasquement sur les bords du
feutre, les cheveux étaient un peu défrisés, et quelques fétus
de paille, ramassés dans la charrette, se mêlaient assez pau-
vrement à leur opulence[2].

130   Ces petites misères de détail n'empêchaient pas donna
Sérafina d'avoir un port de reine sans royaume. Si son habit
était fané, sa figure était fraîche, et, d'ailleurs, cette mise
paraissait la plus éblouissante du monde au jeune baron de
Sigognac, peu habitué à de pareilles magnificences, et qui
135 n'avait jamais vu que des paysannes vêtues d'une jupe de
bure et d'une cape de callemande[3]. Il était, du reste, trop
occupé des yeux de la belle pour faire attention aux
éraillures[4] de son costume.

    L'Isabelle était plus jeune que la donna Sérafina, ainsi que
140 l'exigeait son emploi[5] d'ingénue[6] ; elle ne poussait pas non
plus aussi loin la braverie du costume et se bornait à une élégante et bourgeoise simplicité, comme il convient à la fille
de Cassandre[7]. Elle avait le visage mignon, presque enfantin
encore, de beaux cheveux d'un châtain soyeux, l'œil voilé

notes

1. **passementerie :** galon tressé ou tissé.

2. **opulence :** abondance.

3. **callemande :** étoffe lustrée, brillante sur l'endroit.

4. **éraillures :** déchirures.

5. **emploi :** rôle, au théâtre.

6. **ingénue :** au théâtre, jeune fille pure et naïve.

7. **Cassandre :** dans la comédie italienne, vieillard crédule.

Le Scapin, le Matamore et le Tyran.

145 par de longs cils, la bouche en cœur et petite, et un air de
modestie virginale, plus naturel que feint. Un corsage de
taffetas gris, agrémenté de velours noir et de jais[1], s'allon-
geait en pointe sur une jupe de même couleur ; une fraise[2],
légèrement empesée[3], se dressait derrière sa jolie nuque où
150 se tordaient de petites boucles de cheveux follets, et un fil de
perles fausses entourait son col ; et, quoiqu'au premier abord
elle attirât moins l'œil que la Sérafina, elle le retenait plus
longtemps. Si elle n'éblouissait pas, elle charmait, ce qui a
bien son avantage.

notes

1. jais : noir brillant.
2. fraise : grand col.
3. empesée : rendue rigide
par un apprêt, l'empois.

[Les portraits de donna Sérafina et d'Isabelle sont suivis par ceux de la soubrette, de dame Léonarde (la duègne[1]), du Pédant (ou Blazius), de Léandre, de Scapin, du Tyran (ou Hérode), de Tranche-Montagne (ou Matamore).

Le lendemain matin, les comédiens proposent au baron de se joindre à eux en qualité d'écrivain. Le jeune homme se laisse tenter.]

155   Le moment de la séparation du maître et du serviteur était arrivé, moment pénible, car Pierre avait vu naître Sigognac et remplissait plutôt auprès du baron le rôle d'un humble ami que celui d'un valet.

    « Que Dieu conduise Votre Seigneurie, dit Pierre en
160 s'inclinant sur la main que lui tendait le baron, et lui fasse relever la fortune des Sigognac ; je regrette qu'elle ne m'ait pas permis de l'accompagner.

    — Qu'aurais-je fait de toi, mon pauvre Pierre, dans cette vie inconnue où je vais entrer ? Avec si peu de ressources, je
165 ne puis véritablement charger le hasard du soin de deux existences. Au château, tu vivras toujours à peu près ; nos anciens métayers[2] ne laisseront pas mourir de faim le fidèle serviteur de leur maître. D'ailleurs, il ne faut pas mettre la clef sous la porte du manoir des Sigognac et l'abandonner
170 aux orfraies[3] et aux couleuvres comme une masure visitée par la mort et hantée des esprits ; l'âme de cette antique demeure existe encore en moi, et, tant que je vivrai, il restera près de son portail un gardien pour empêcher les enfants de viser son blason avec les pierres de leur fronde. »

---

notes

1. duègne : vieille femme chargée de veiller sur une jeune fille.

2. métayers : sorte de fermiers.

3. orfraies : grands aigles à queue blanche.

175 Le domestique fit un signe d'assentiment, car il avait, comme tous les anciens serviteurs attachés aux familles nobles, la religion du manoir seigneurial, et Sigognac, malgré ses lézardes, ses dégradations et ses misères, lui paraissait encore un des plus beaux châteaux du monde.

180 « Et puis, ajouta en souriant le baron, qui aurait soin de Bayard, de Miraut et de Béelzébuth[1] ?

– C'est vrai, maître », répondit Pierre, et il prit la bride de Bayard, dont Sigognac flattait le col avec des plamussades[2] en manière de caresse et d'adieu.

185 En se séparant de son maître, le bon cheval hennit à plusieurs reprises, et longtemps encore Sigognac put entendre, affaibli par l'éloignement, l'appel affectueux de la bête reconnaissante.

Sigognac, resté seul, éprouva la sensation des gens qui 190 s'embarquent et que leurs amis quittent sur la jetée du port ; c'est peut-être le moment le plus amer du départ ; le monde où vous vivez se retire, et vous vous hâtez de rejoindre vos compagnons de voyage, tant l'âme se sent dénuée et triste, et tant les yeux ont besoin de l'aspect d'un visage humain : 195 aussi allongea-t-il le pas pour rejoindre le chariot qui roulait péniblement en faisant crier le sable où ses roues traçaient des sillons comme des socs de charrue dans la terre.

En voyant Sigognac marcher à côté de la charrette, Isabelle se plaignit d'être mal assise et voulut descendre pour 200 se dégourdir un peu les jambes, disait-elle, mais en réalité dans la charitable intention de ne pas laisser le jeune seigneur en proie à la mélancolie, et de le distraire par quelques joyeux propos.

---

notes

1. Bayard, Miraut et Béelzébuth : le cheval, le chien et le chat du baron.

2. plamussades : tapes du plat de la main.

Le voile de tristesse qui couvrait la figure de Sigognac se
205 déchira comme un nuage traversé d'un rayon de soleil,
lorsque la jeune fille vint réclamer l'appui de son bras afin
de faire quelques pas sur la route unie en cet endroit.

Ils cheminaient ainsi l'un près de l'autre, Isabelle récitant
à Sigognac quelques vers d'un de ses rôles dont elle n'était
210 pas contente et qu'elle voulait lui faire retoucher, lorsqu'un
soudain éclat de trompe retentit à droite de la route dans les
halliers[1], les branches s'ouvrirent sous le poitrail des chevaux
abattant les gaulis[2], et la jeune Yolande de Foix apparut au
milieu du chemin dans toute sa splendeur de Diane chasse-
215 resse. L'animation de la course avait amené un incarnat plus
riche à ses joues, ses narines roses palpitaient, et son sein
battait plus précipitamment sous le velours et l'or de son
corsage. Quelques accrocs à sa longue jupe, quelques égrati-
gnures aux flancs de son cheval prouvaient que l'intrépide
220 amazone ne redoutait ni les fourrés ni les broussailles :
quoique l'ardeur de la noble bête n'eût pas besoin d'être
excitée, et que des nœuds de veines gonflées d'un sang
généreux se tordissent sur son col blanc d'écume, elle lui
chatouillait la croupe du bout d'une cravache dont le pom-
225 meau était formé d'une améthyste[3] gravée à son blason, ce
qui faisait exécuter à l'animal des sauts et des courbettes, à la
grande admiration de trois ou quatre jeunes gentilshommes
richement costumés et montés, qui applaudissaient à la grâce
hardie de cette nouvelle Bradamante[4]. Bientôt Yolande,
230 rendant la main à son cheval, fit cesser ces semblants de
défense et passa rapidement devant Sigognac, sur qui elle

---

notes

1. halliers : épais buissons. **3. améthyste :** pierre
2. gaulis : très jeunes arbres. violette.

4. Bradamante :
personnage d'une
tragicomédie éponyme
du XVIe siècle, écrite
par Robert Garnier.

laissa tomber un regard tout chargé de dédain et d'aristocratique insolence.

« Voyez donc, dit-elle aux trois godelureaux[1] qui galo-
235 paient après elle, le baron de Sigognac qui s'est fait chevalier d'une bohémienne ! »

Et le groupe passa avec un éclat de rire dans un nuage de poussière. Sigognac eut un mouvement de colère et de honte, et porta vivement la main à la garde de son épée ;
240 mais il était à pied, et c'eût été folie de courir après des gens à cheval, et d'ailleurs il ne pouvait provoquer Yolande en duel. Une œillade langoureuse et soumise de la comédienne lui fit bientôt oublier le regard hautain de la châtelaine.

La journée s'écoula sans autre incident, et l'on arriva vers
245 les quatre heures au lieu de la dînée et de la couchée.

La soirée fut triste à Sigognac ; les portraits avaient l'air encore plus maussade et plus rébarbatif qu'à l'ordinaire, ce qu'on n'eût pas cru possible ; l'escalier retentissait plus sonore et plus vide, les salles semblaient s'être agrandies et
250 dénudées. Le vent piaulait[2] étrangement dans les corridors, et les araignées descendaient du plafond au bout d'un fil, inquiètes et curieuses. Les lézardes des murailles bâillaient largement comme des mâchoires distendues par l'ennui ; la vieille maison démantelée paraissait avoir compris l'absence
255 du jeune maître et s'en affliger.

Sous le manteau de la cheminée, Pierre partageait son maigre repas entre Miraut et Béelzébuth, à la lueur fumeuse d'une chandelle de résine, et dans l'écurie on entendait Bayard tirer sa chaîne et tiquer[3] contre sa mangeoire.

---

notes

1. godelureaux : jeunes élégants, souvent vaniteux.

2. piaulait : poussait des cris aigus.

3. tiquer : déglutir ou régurgiter l'air, chez le cheval.

Au fil du texte

AVEZ-VOUS BIEN LU ?

1. Complétez les phrases suivantes.

a) Je suis « *un vieux chat noir* » ; je m'appelle
....

b) Je suis un chien fidèle ; je m'appelle ....

c) Je suis un cheval affectueux ; je m'appelle
....

d) Je suis un serviteur âgé ; je m'appelle ....

e) Je suis une jeune aristocrate, intrépide amazone ;
je m'appelle ....

f) Je suis un jeune hobereau ruiné ; je m'appelle
....

g) J'ai un emploi d'ingénue ; je m'appelle
....

expansions :
les adjectifs épithètes, les compléments du nom ou les subordonnées relatives viennent préciser ou développer le sens du nom.

comparaison :
procédé qui consiste à comparer un élément à un autre grâce à un outil tel que « comme » ou « semblable à ».

métaphore :
comparaison dans laquelle l'outil de comparaison est absent.

ÉTUDIER LE VOCABULAIRE ET LA GRAMMAIRE (L. 33 À 54, PP. 9-10)

2. Quelle est la valeur du présent employé pour les deux premiers verbes ?

3. À quel temps sont les verbes qui suivent ? Justifiez le choix de ce temps.

4. Dans quelle pièce le lecteur est-il convié à pénétrer ? Quels sont, dans le passage, les mots qui se rapportent à cette pièce ?

5. Relevez les expansions★ des noms suivants et précisez leur nature et leur fonction : « *feu, jour, eau, brouet* ».

6. Relevez une comparaison★ et une métaphore★ et expliquez-les.

7. Quelle peut être la fonction de la métaphore et de la comparaison dans un texte descriptif ?

ÉTUDIER LA MISE EN PLACE DU SCHÉMA NARRATIF*

8. Quels sont, dans le premier paragraphe du roman, les indices qui posent le cadre spatio-temporel* du récit ?

9. Quelle est la situation initiale* ?

10. Quel est l'élément déclencheur* ?

11. En quoi les titres des deux chapitres initiaux expriment-ils la mise en place du schéma narratif ?

ÉTUDIER LA DESCRIPTION (L. 7 À 32, PP. 7 À 9)

12. Relevez les mots appartenant au champ lexical* de l'architecture ; quelle conclusion en tirez-vous ?

13. Relevez les mots appartenant au champ lexical de la végétation. Qu'en déduisez-vous ?

14. Quelle impression l'auteur cherche-t-il à donner ? Justifiez votre réponse en relevant des expressions du texte.

ÉTUDIER LE PORTRAIT D'ISABELLE (L. 139 À 154, PP. 20-21)

15. Quelles sont les étapes successives du portrait ?

16. Quels sont les éléments du portrait qui concordent avec l'« *emploi d'ingénue* » (l. 140) qu'occupe Isabelle dans la troupe ?

schéma narratif : déroulement d'un récit : situation initiale, élément déclencheur, péripéties, élément de résolution, situation finale.

cadre spatio-temporel : le décor et l'époque de l'histoire.

situation initiale : situation dans laquelle se trouve le personnage principal au début de l'histoire.

élément déclencheur : élément qui vient rompre la situation initiale et déclencher les péripéties qui vont suivre.

champ lexical : ensemble des termes qui se rapportent à une même notion.

LIRE L'IMAGE

17. Quels sont les quatre personnages représentés au premier plan de la gravure de la page 9 ?

18. En quoi cette gravure évoque-t-elle bien la situation du baron de Sigognac au début du roman ?

À VOS PLUMES !

19. Les comédiens, après leur nuit au château de Sigognac, discutent entre eux et évoquent leurs impressions à propos de ce château et de son propriétaire.
Le dialogue est inséré dans une trame narrative.

20. Vous rédigerez la description d'un château en bon état en vous appuyant sur un document iconographique de votre choix.

L'auberge du Soleil bleu

[Les comédiens font halte dans la misérable auberge de maître Chirriguirri.]

À l'angle d'un des bancs, lorsque les comédiens entrèrent, sommeillait une petite fille de huit à neuf ans, ou du moins qui ne paraissait avoir que cet âge, tant elle était maigre et chétive[1]. Appuyée des épaules au dossier du banc, elle laissait choir sur sa poitrine sa tête d'où pleuvaient de longues mèches de cheveux emmêlés qui empêchaient de distinguer ses traits.

[…]

---

note

1. chétive : fragile, faible, apparemment en mauvaise santé.

La petite fille, qui dormait à l'autre bout du banc, s'était réveillée et redressée. On pouvait voir son visage qu'elle avait dégagé de ses cheveux qui semblaient avoir déteint sur son front tant il était fauve. Sous le hâle de la figure perçait une pâleur de cire, une pâleur mate et profonde. Aucune couleur aux joues, dont les pommettes saillaient. Sur les lèvres bleuâtres, dont le sourire malade découvrait des dents d'une blancheur nacrée, la peau se fendillait en minces lamelles. Toute la vie paraissait réfugiée dans les yeux.

La maigreur de sa figure faisait paraître ses yeux énormes, et la large meurtrissure de bistre qui les entourait comme une auréole leur donnait un éclat fébrile et singulier. – Le blanc en paraissait presque bleu, tant les prunelles y tranchaient par leur brun sombre, et tant la double ligne des cils était épaisse et fournie. En ce moment ces yeux étranges exprimaient une admiration enfantine et une convoitise féroce, et ils se tenaient opiniâtrement[1] fixés sur les bijoux de l'Isabelle et de la Sérafina, dont la petite sauvage, sans doute, ne soupçonnait pas le peu de valeur. La scintillation de quelque passementerie d'or faux, l'orient trompeur d'un collier en perles de Venise, l'éblouissaient et la tenaient comme en une sorte d'extase. Évidemment elle n'avait, de sa vie, rien vu de si beau. Ses narines se dilataient, une faible rougeur lui montait aux joues, un rire sardonique[2] voltigeait sur ses lèvres pâles, interrompu de temps à autre par un claquement de dents fiévreux, rapide et sec.

---

notes

1. opiniâtrement : avec insistance.

2. sardonique : cruellement moqueur.

Chapitre III

Heureusement personne de la compagnie ne regardait
35   ce pauvre petit tas de haillons secoué d'un tremblement
nerveux, car on eût été effrayé de l'expression farouche et
sinistre imprimée sur les traits de ce masque livide.

Ne pouvant maîtriser sa curiosité, l'enfant étendit sa main
brune, délicate et froide comme une main de singe, vers la
40   robe de l'Isabelle, dont ses doigts palpèrent l'étoffe avec un
sentiment visible de plaisir et une titillation[1] voluptueuse.
Ce velours fripé, miroité à tous ses plis, lui semblait le plus
neuf, le plus riche et le plus moelleux du monde.

Quoique le tact[2] eût été bien léger, Isabelle se retourna
45   et vit l'action de la petite, à qui elle sourit maternellement.
Se sentant sous un regard, l'enfant avait repris subitement
une niaise physionomie puérile n'indiquant qu'une stupeur[3]
idiote, avec une science instinctive de mimique qui eût fait
honneur à une comédienne consommée dans la pratique de
50   son art, et, d'une voix dolente[4], elle dit en son patois :

« C'est comme la chape de la Notre-Dame sur l'autel ! »

Puis, baissant ses cils dont la frange noire lui descendait
jusque sur les pommettes, elle appuya ses épaules au dossier
de la banquette, joignit ses mains, croisa ses pouces et feignit
55   de s'endormir comme accablée par la fatigue.

[Arrive un marquis qui reconnaît Sigognac mais reste discret.
Séduit par la soubrette, il propose à la troupe de venir donner
une représentation chez lui, au château de Bruyères.]

---

notes

1. titillation : léger
chatouillement.

2. tact : toucher.

3. stupeur : ici, immobilité.

4. dolente : languissante,
plaintive.

Brigands pour les oiseaux

Retournons maintenant à la petite fille que nous avons laissée endormie sur le banc d'un sommeil trop profond pour ne pas être simulé.

[…]

⁵   En effet, dès que la porte se fut refermée sur les comédiens, elle souleva lentement ses longues paupières brunes, promena son regard inquisiteur¹ dans tous les coins de la chambre, et quand elle se fut bien assurée qu'il n'y avait plus personne, elle se laissa couler du rebord de
¹⁰ la banquette sur ses pieds, se dressa, rejeta ses cheveux en arrière par un mouvement qui lui était familier, et se dirigea vers la porte, qu'elle ouvrit sans faire plus de bruit

note

1. inquisiteur : curieux, interrogateur.

qu'une ombre. Elle la referma avec beaucoup de précaution, prenant garde que le loquet ne retombât trop brusquement, puis elle s'éloigna à pas lents jusqu'à l'angle d'une haie qu'elle tourna.

Sûre alors d'être hors de vue du logis, elle prit sa course, sautant les fossés d'eau croupie, enjambant les sapins abattus et bondissant sur les bruyères comme une biche ayant une meute après elle.

[...]

Au-delà, de chaque côté de la route, s'étendaient les bruyères d'un violet sombre, où flottaient des bancs de vapeurs grisâtres auxquelles les rayons de l'astre nocturne donnaient un air de fantômes en procession, bien fait pour porter la terreur en des âmes superstitieuses ou peu habi-tuées aux phénomènes de la nature dans ces solitudes.

L'enfant, accoutumée sans doute à ces fantasmagories[1] du désert, n'y faisait aucune attention et continuait sa course. Elle arriva enfin à une espèce de monticule couronné de vingt ou trente sapins qui formaient là comme une espèce de bois. Avec une agilité singulière, et qui ne trahissait aucune fatigue, elle franchit l'escarpement assez roide[2] et gagna le sommet du tertre[3]. Debout sur l'élévation, elle pro-mena quelque temps autour d'elle ses yeux pour qui l'ombre ne semblait pas avoir de voiles, et, n'apercevant que l'immensité solitaire, elle mit deux de ses doigts dans sa bouche et poussa, à trois reprises, un de ces sifflements que le voyageur, traversant les bois la nuit, n'entend jamais sans

---

notes

1. fantasmagories : phénomènes surnaturels.

2. roide : raide.

3. tertre : colline.

une angoisse secrète, bien qu'il les suppose produits par des
40 chats-huants[1] craintifs ou toute autre bestiole inoffensive.

Une pause séparait chacun des cris, que sans cela l'on eût
pu confondre avec les ululations des orfraies, des bondrées[2]
et des chouettes, tant l'imitation était parfaite.

Bientôt un monceau de feuilles parut s'agiter, fit le gros
45 dos, se secoua comme une bête endormie qu'on réveille, et
une forme humaine se dressa lentement devant la petite.

« C'est toi, Chiquita, dit l'homme. Quelle nouvelle ? Je
ne t'attendais plus et faisais un somme. »

L'homme qu'avait réveillé l'appel de Chiquita était un
50 gaillard de vingt-cinq ou trente ans, de taille moyenne, maigre,
nerveux et paraissant propre à toutes les mauvaises besognes ;
il pouvait être braconnier, contrebandier, faux-saunier[3], voleur
et coupe-jarrets[4], honnêtes industries qu'il pratiquait les unes
après les autres ou toutes à la fois, selon l'occurrence[5].

[Le brigand se nomme Agostin. Chiquita lui décrit les comédiens qu'elle a vus à l'auberge et, les pensant riches, il décide de dresser une embuscade.]

55 « Allons, risquons le coup, et dressons l'embuscade, dit
Agostin en prenant sa résolution. Cinq coffres, des broderies
d'or, un collier de perles. J'ai travaillé pour moins. »

Le brigand et la petite fille entrèrent dans le bois de sapins ;
et, parvenus à l'endroit le plus secret, ils se mirent activement
60 à déranger des pierres et des brassées de broussailles, jusqu'à
ce qu'ils eussent mis à nu cinq ou six planches saupoudrées

---

notes

1. chats-huants : hulottes, rapaces nocturnes.

2. bondrées : buses à longue queue.

3. faux-saunier : personne qui se livre en fraude à la contrebande du sel.

4. coupe-jarrets : assassin.

5. occurrence : occasion.

de terre. Agostin souleva les planches, les jeta de côté, et descendit jusqu'à mi-corps dans la noire ouverture qu'elles laissaient béante. Était-ce l'entrée d'un souterrain ou d'une
65 caverne, retraite ordinaire du brigand ? la cachette où il serrait les objets volés ? l'ossuaire où il entassait les cadavres de ses victimes ?

Cette dernière supposition eût paru la plus vraisemblable au spectateur, si la scène eût eu d'autres témoins que les
70 choucas[1] perchés dans la sapinière.

Agostin se courba, parut fouiller au fond de la fosse, se redressa tenant entre les bras une forme humaine d'une roideur cadavérique, qu'il jeta sans cérémonie sur le bord du trou. Chiquita ne parut éprouver aucune frayeur à cette
75 exhumation[2] étrange, et tira le corps par les pieds à quelque distance de la fosse, avec plus de force que sa frêle apparence ne permettait d'en supposer. Agostin, continuant son lugubre travail, sortit encore de cet Haceldama[3] cinq cadavres que la petite fille rangea auprès du premier, souriant comme une
80 jeune goule[4] prête à faire ripaille[5] dans un cimetière. Cette fosse ouverte, ce bandit arrachant à leur repos les restes de ses victimes, cette petite fille aidant à cette funèbre besogne, tout cela sous l'ombre noire des sapins, composait un tableau fait pour inspirer l'effroi aux plus braves.

85 Le bandit prit un des cadavres, le porta sur la crête de l'escarpement, le dressa, et le fit tenir debout en fichant en terre le pieu auquel le corps était lié. Ainsi maintenu, le cadavre singeait assez à travers l'ombre l'apparence d'un homme vivant.

---

notes

1. choucas : petites corneilles à tête grise.

2. exhumation : fait de déterrer un corps.

3. Haceldama : mot espagnol pour désigner, dans les Évangiles, le champ que Judas a acheté avec l'argent qu'il a reçu pour avoir trahi Jésus.

4. goule : sorte de vampire.

5. faire ripaille : manger abondamment.

[Agostin dresse de même les cinq autres cadavres. Pendant ce temps, le chariot des comédiens poursuit sa route en direction du château de Bruyères.]

Cependant[1] le chariot marchait toujours, et, en se rapprochant de la sapinière, Sigognac crut démêler sur le bord de l'escarpement une rangée d'êtres bizarres plantés comme en embuscade et dont les premiers rayons du soleil levant ébauchaient vaguement les formes mais, à leur parfaite immobilité, il les prit pour de vieilles souches et se prit à rire lui-même de son inquiétude, et il n'éveilla pas les comédiens comme il en avait d'abord eu l'idée.

Le chariot fit encore quelques tours de roue. Le point brillant sur lequel Sigognac tenait toujours les yeux fixés se déplaça. Un long jet de feu sillonna un flot de fumée blanchâtre ; une forte détonation se fit entendre, et une balle s'aplatit sous le joug des bœufs, qui se jetèrent brusquement de côté, entraînant le chariot qu'un tas de sable retint heureusement au bord du fossé.

À la détonation et à la secousse, toute la troupe s'éveilla en sursaut ; les jeunes femmes se mirent à pousser des cris aigus. La vieille seule, faite aux aventures, garda le silence et prudemment glissa deux ou trois doublons[2] serrés dans sa ceinture entre son bas et la semelle de son soulier.

Debout, à la tête du char d'où les comédiens s'efforçaient de sortir, Agostin, sa cape de Valence[3] roulée sur son bras, sa navaja[4] au poing, criait d'une voix tonnante :

notes

1. cependant : pendant ce temps.

2. doublons : pièces d'or espagnoles.

3. Valence : ville espagnole réputée pour ses soieries.

4. navaja : long couteau espagnol à lame effilée.

**Une rangée d'êtres bizarres plantés
comme en embuscade…**

« La bourse ou la vie ! toute résistance est inutile ; au moindre signe de rébellion ma troupe va vous arquebuser[1] ! »

Pendant que le bandit posait son ultimatum de grand chemin, le baron, dont le généreux cœur ne pouvait admettre l'insolence d'un pareil maroufle[2], avait tranquillement dégainé et fondait sur lui l'épée haute. Agostin parait les bottes[3] du baron avec son manteau et épiait l'occasion de lui lancer sa navaja ; appuyant le manche du couteau à la saignée, et, balançant le bras d'un mouvement sec, il envoya la lame au ventre de Sigognac, à qui bien en prit de n'être pas obèse. Une légère retraite de côté lui fit éviter la pointe meurtrière ; la lame alla tomber à quelques pas plus loin. Agostin pâlit, car il était désarmé, et il savait que sa troupe d'épouvantails ne pouvait lui être d'aucun secours. Cependant, comptant sur un effet de terreur, il cria : « Feu ! vous autres ! » – Les comédiens, craignant l'arquebuse, firent un mouvement de retraite et se réfugièrent derrière le chariot, où les femmes piaillaient comme des geais[4] plumés vifs. Sigognac lui-même, malgré son courage, ne put s'empêcher de baisser un peu la tête.

Chiquita, qui avait suivi toute la scène cachée par un buisson dont elle écartait les branches, voyant la périlleuse situation de son ami, rampa comme une couleuvre sur la poudre du chemin, ramassa le couteau sans qu'on prît garde à elle, et, se redressant d'un bond, remit la najava au bandit. Rien n'était plus fier et plus sauvage que l'expression qui rayonnait sur la tête pâle de l'enfant ; des éclairs jaillissaient de ses yeux sombres, ses narines palpitaient comme des ailes

---

notes

1. arquebuser : tuer avec une arquebuse (sorte de fusil).

2. maroufle : fripon.
3. bottes : attaques à la pointe de l'épée.

4. geais : petits oiseaux, sortes de passereaux.

140 d'épervier[1], ses lèvres entrouvertes laissaient voir deux rangées de dents féroces comme celles qui luisent dans le rictus d'un animal acculé. Toute sa petite personne respirait indomptablement la haine et la révolte.

Agostin balança une seconde fois le couteau, et peut-être 145 le baron de Sigognac eût-il été arrêté au début de ses aventures, si une main de fer n'avait saisi fort opportunément le poignet du bandit. Cette main, serrant comme un étau dont on tourne la vis, écrasait les muscles, froissait les os, faisait gonfler les veines et venir le sang dans les ongles. Agostin 150 essaya de se débarrasser par des secousses désespérées ; il n'osait se retourner, car le baron l'eût lardé dans le dos, et il parait encore les coups de son bras gauche, et pourtant il sentait que sa main prise s'arracherait de son bras avec ses nerfs s'il persistait à la délivrer. La douleur devint si violente, 155 que ses doigts engourdis s'entrouvrirent et lâchèrent l'arme.

C'était le Tyran qui, passant derrière Agostin, avait rendu ce bon office[2] à Sigognac. Tout à coup il poussa un cri :

« Mordious ! est-ce qu'une vipère me pique ; j'ai senti deux crocs pointus m'entrer dans la jambe ! »

160 En effet, Chiquita lui mordait le mollet comme un chien pour le faire retourner ; le Tyran, sans lâcher prise, secoua la petite fille et l'envoya rouler à dix pas sur le chemin. Le Matamore, reployant ses longs membres articulés comme ceux d'une sauterelle, se baissa, ramassa le couteau, le ferma 165 et le mit dans sa poche.

Pendant cette scène, le soleil émergeait petit à petit de l'horizon ; une portion de son disque d'or rose se montrait au-dessus de la ligne des landes, et les mannequins, sous ce

---

notes

1. épervier : oiseau rapace diurne.   **2. office :** service.

rayon véridique, perdaient de plus en plus leur apparence humaine.

« Ah çà ! il paraît, dit le Pédant, que les arquebuses de ces messieurs ont fait long feu à cause de l'humidité de la nuit. En tout cas, ils ne sont guère braves, car ils laissent leur chef dans l'embarras et ne bougent non plus que des Termes mythologiques[1] !

– Ils ont de bonnes raisons pour cela, répliqua le Matamore en escaladant le talus, ce sont des hommes de paille habillés de guenilles, armés de ferrailles, excellents pour éloigner les oiseaux des cerises et des raisins. »

En six coups de pied il fit rouler au milieu de la route les six grotesques fantoches[2] qui s'épatèrent sur la poudre avec ces gestes irrésistiblement comiques de marionnettes dont on a abandonné les fils. Ainsi disloqués et aplatis, les mannequins parodiaient d'une façon aussi bouffonne que sinistre les cadavres étalés sur les champs de bataille.

« Vous pouvez descendre, mesdames, dit le baron aux comédiennes, il n'y a plus rien à craindre ; ce n'était qu'un péril en peinture. »

[Isabelle admire la bravoure du jeune baron. Les comédiens donnent quelques pièces à Agostin pour le consoler de son échec et Isabelle offre à la petite fille le collier de fausses perles qu'elle convoitait. La troupe poursuit son voyage ; le château de Bruyères est bientôt en vue.]

---

notes

1. Termes mythologiques : divinités romaines primitives représentant la fixité et protectrices de la limite des champs.

2. fantoches : marionnettes suspendues à un fil.

Chez monsieur le marquis

Aux rayons d'une belle matinée, le château de Bruyères se développait de la façon la plus avantageuse du monde. Les domaines du marquis, situés
5   sur l'ourlet[1] de la lande, se trouvaient en pleine terre végétale, et le sable infertile poussait ses dernières vagues blanches contre les murailles du parc. Un air de prospérité, formant un parfait contraste avec la misère des alentours, réjouissait agréablement la vue dès qu'on y mettait
10   le pied ; c'était comme une île Macarée[2] au milieu d'un océan de désolation.

Un saut-de-loup[3], revêtu d'un beau parement[4] de pierre, déterminait l'enceinte du château sans le masquer. Dans un fossé miroitait en carreaux verts une eau

notes

1. ourlet : lisière, bordure.   **3. saut-de-loup :** fossé.

2. île Macarée : île   **4. parement :** revêtement.
des Bienheureux,
dans la mythologie.

15 brillante et vive dont aucune herbe aquatique n'altérait la pureté et qui témoignait d'un soigneux entretien. Pour la traverser se présentait un pont de briques et de pierre assez large pour que deux carrosses y pussent rouler de front, et garni de garde-fous à balustres[1]. Ce pont aboutissait à une
20 magnifique grille en fer battu, vrai monument de serrurerie que l'on aurait cru façonné du propre marteau de Vulcain[2]. Les portes s'accrochaient à deux piliers de métal quadrangulaires, travaillés et fouillés à jour, simulant un ordre d'architecture et portant une architrave[3] au-dessus de
25 laquelle s'épanouissait un buisson de rinceaux[4] contournés, d'où partaient des feuillages et des fleurs se recourbant avec des symétries antithétiques[5].

[Le chariot des comédiens s'avance vers le château.]

Le marquis de Bruyères, qui de loin avait vu venir le cortège comique, était debout sur le perron du château, en veste
30 de velours tanné et chausses de même, bas de soie gris et souliers blancs à bout carré, le tout galamment passementé de rubans assortis. Il descendit quelques marches de l'escalier en fer à cheval, comme un hôte poli qui ne regarde pas de trop près à la condition de ses invités ; d'ailleurs la présence
35 du baron de Sigognac dans la troupe pouvait à la rigueur justifier cette condescendance[6]. Il s'arrêta au troisième degré[7], ne jugeant pas digne d'aller plus loin, il fit de là, aux comédiens, un signe de main amical et protecteur.

---

notes

1. balustres : colonnettes décoratives.

2. Vulcain : dieu romain du Feu et des Arts métallurgiques.

3. architrave : partie posée directement sur les deux chapiteaux des colonnes.

4. rinceaux : ornements consistant en des végétaux enroulés.

5. antithétiques : opposées.

6. condescendance : attitude hautaine, mêlant bienveillance et mépris.

7. degré : marche.

En ce moment la soubrette présenta à l'ouverture de la
banne[1] sa tête maligne et futée, qui se détachait du fond
obscur étincelante de lumière, d'esprit et d'ardeur. Ses yeux
et sa bouche lançaient des éclairs. Elle se penchait, à demi
sortie du chariot, appuyée des mains à la traverse de bois,
laissant voir un peu de sa gorge par le pli relâché de sa
guimpe, et comme attendant que l'on vînt à son secours.
Sigognac, occupé d'Isabelle, ne faisait pas attention au feint
embarras de la rusée coquine, qui leva vers le marquis un
regard lustré[2] et suppliant.

Le châtelain de Bruyères entendit cet appel. Il franchit
vivement les dernières marches de l'escalier et s'approcha du
chariot pour accomplir ses devoirs de cavalier servant, le
poing tendu, le pied avancé en danseur. D'un mouvement
leste[3] et coquet comme celui d'une jeune chatte, la soubrette
s'élança au bord du char, hésita un instant, feignit de perdre
l'équilibre, entoura de son bras le col du marquis et descendit à terre avec une légèreté de plume, imprimant à peine sur
le sable ratissé la marque de ses petits pieds d'oiseau.

« Excusez-moi, dit-elle au marquis, en simulant une
confusion qu'elle était loin d'éprouver, j'ai cru que j'allais
tomber et je me suis retenue à la branche de votre col[4] ;
quand on se noie ou qu'on tombe, on se rattrape où l'on
peut. Une chute, d'ailleurs, est chose grave et de mauvais
augure pour une comédienne.

– Permettez-moi de considérer ce petit accident comme
une faveur », répondit le seigneur de Bruyères, tout ému
d'avoir senti contre son sein la poitrine savamment palpi-
tante de la jeune femme.

---

notes

1. banne : bâche
protégeant
des intempéries.

2. lustré : brillant.

3. leste : souple et rapide.

4. col : cou.

Sérafina, la tête à demi tournée sur l'épaule et la prunelle glissée dans le coin externe de l'œil, avait vu cette scène presque de dos, avec cette perspicacité jalouse des rivales à qui rien n'échappe et qui vaut les cent yeux d'Argus. Elle ne put s'empêcher de se mordre la lèvre. Zerbine (c'était le nom de la soubrette), par un coup familièrement hardi, s'était poussée dans l'intimité du marquis et se faisait, pour ainsi dire, faire les honneurs du château au détriment des grands rôles et des premiers emplois ; énormité damnable[1] et subversive[2] de toute hiérarchie théâtrale ! « Ardez[3] un peu cette mauricaude[4], il lui faut des marquis pour l'aider à descendre de charrette », fit intérieurement la Sérafina dans un style peu digne du ton maniéré et précieux qu'elle affectait en parlant ; mais le dépit, entre femmes, emploie volontiers les métaphores de la halle[5] et de la grève[6], fussent-elles duchesses ou grandes coquettes.

« Jean, dit le marquis à un valet qui sur un geste du maître s'était approché, faites remiser[7] ce chariot dans la cour des communs et déposer les décorations et accessoires qu'il contient bien à l'abri sous quelque hangar ; dites qu'on porte les malles de ces messieurs et de ces dames aux chambres désignées par mon intendant et qu'on leur donne tout ce dont ils pourraient avoir besoin. J'entends qu'on les traite avec respect et courtoisie. Allez. »

Ces ordres donnés, le seigneur de Bruyères remonta gravement le perron, non sans avoir lancé, avant de disparaître sous la porte, un coup d'œil libertin à Zerbine, qui lui

---

notes

1. damnable : condamnable.

2. subversive : susceptible de briser l'ordre social.

3. ardez : regardez (populaire).

4. mauricaude : qui a le teint basané.

5. halle : marché.

6. grève : place publique.

7. remiser : ranger.

95 souriait d'une façon beaucoup trop avenante au gré de
donna Sérafina, outrée de l'impudence[1] de la soubrette.

[Les comédiens s'installent dans les chambres qui leur sont
attribuées. Le baron de Sigognac, resté seul, se livre à une
« inspection mélancolique » des vêtements peu élégants dont il
dispose. Blazius se propose de l'aider à changer d'apparence.]

La toilette du baron fut bientôt achevée, car le théâtre,
exigeant des changements rapides de costume, donne beaucoup de dextérité[2] aux comédiens en ces sortes de méta-
100 morphoses. Blazius, content de sa besogne, mena par le bout
du petit doigt, comme on mène une jeune épousée à
l'autel, le baron de Sigognac devant la glace de Venise posée
sur la table et lui dit : « Maintenant daignez jeter un coup
d'œil sur Votre Seigneurie. »
105 Sigognac aperçut dans le miroir une image qu'il prit
d'abord pour celle d'une autre personne, tant elle différait de
la sienne. Involontairement il retourna la tête et regarda
par-dessus son épaule pour voir s'il n'y avait pas par hasard
quelqu'un derrière lui. L'image imita son mouvement. Plus
110 de doute, c'était bien lui-même : non plus le Sigognac hâve[3],
triste, lamentable, presque ridicule à force de misère, mais un
Sigognac jeune, élégant, superbe, dont les vieux habits aban-
donnés sur le plancher ressemblaient à ces peaux grises et
ternes que dépouillent les chenilles lorsqu'elles s'envolent
115 vers le soleil, papillons aux ailes d'or, de cinabre[4] et de
lapis[5]. L'être inconnu, prisonnier dans cette enveloppe de

notes
1. impudence : effronterie.   3. hâve : pâle et maigre.
2. dextérité : adresse,   4. cinabre : rouge vermillon.
habileté.   5. lapis : bleu intense.

délabrement, s'était dégagé soudain et rayonnait sous la pure lumière tombant de la fenêtre comme une statue dont on vient d'enlever le voile en quelque inauguration publique.

120 Sigognac se voyait tel qu'il s'était quelquefois apparu en rêve, acteur et spectateur d'une action imaginaire se passant dans son château rebâti et orné par les habiles architectes du songe pour recevoir une infante adorée arrivant sur une haquenée[1] blanche. Un sourire de gloire et de triomphe

125 voltigea quelques secondes comme une lueur de pourpre[2] sur ses lèvres pâles, et sa jeunesse enfouie si longtemps sous le malheur reparut à la surface de ses traits embellis.

[La pièce, *Les Rodomontades du capitaine Matamore*, est donnée dans « l'orangerie, transformée en salle de théâtre » devant le marquis et la marquise de Bruyères ainsi que quelques aristocrates dont la belle et hautaine Yolande de Foix.
Le soir, après le spectacle, des intrigues amoureuses se nouent.]

Isabelle et Sigognac montèrent l'escalier, et charmés par la beauté de la nuit, firent quelques tours sur la terrasse avant

130 de regagner leur chambre. Comme le lieu était découvert, en vue du château, la pudeur de la jeune comédienne ne conçut aucune alarme de cette promenade nocturne. D'ailleurs, la timidité du baron la rassurait, et bien que son emploi fût celui d'ingénue, elle en savait assez sur les choses

135 d'amour pour ne pas ignorer que le propre de la passion vraie est le respect. Sigognac ne lui avait pas fait d'aveu formel[3], mais elle se sentait aimée de lui et ne craignait de sa part aucune entreprise fâcheuse à l'endroit de sa vertu.

---

notes

1. *haquenée* : jument facile à monter.

2. *pourpre* : rouge foncé.

3. *formel* : explicite, clair.

Avec le charmant embarras des amours qui commencent,
140   ce jeune couple, se promenant au clair de lune côte à côte,
le bras sur le bras, dans un parc désert, ne se disait que
les choses les plus insignifiantes du monde. Qui les eût épiés
eût été surpris de n'entendre que propos vagues, réflexions
futiles, demandes et réponses banales. Mais si les paroles ne
145   trahissaient aucun mystère, le tremblement des voix, l'accent
ému, les silences, les soupirs, le ton bas et confidentiel de
l'entretien accusaient les préoccupations de l'âme.

L'appartement de Yolande, voisin de celui de la marquise,
donnait sur le parc, et comme, après que ses femmes l'eurent
150   défaite[1], la belle jeune fille regardait distraitement à travers la
croisée la lune briller au-dessus des grands arbres, elle aperçut sur la terrasse Isabelle et Sigognac qui se promenaient
sans autre accompagnement que leur ombre.

Certes, la dédaigneuse Yolande, fière comme une déesse
155   qu'elle était, n'avait que mépris pour le pauvre baron
Sigognac, devant qui parfois à la chasse elle passait comme
un éblouissement dans un tourbillon de lumière et de bruit,
et que dernièrement même elle avait presque insulté ; mais
cela lui déplut de le voir sous sa fenêtre près d'une jeune
160   femme à laquelle sans doute il parlait d'amour. Elle
n'admettait pas qu'on pût ainsi secouer son servage[2]. On
devait mourir silencieusement pour elle.

Elle se coucha d'assez mauvaise humeur et eut quelque
peine à s'endormir ; ce groupe amoureux poursuivait son
165   imagination.

Sigognac remit Isabelle à sa chambre, et comme il allait
rentrer dans la sienne, il aperçut au fond du corridor un personnage mystérieux drapé d'un manteau couleur de muraille,

notes
1. **défaite :** déshabillée.   2. **servage :** esclavage.

dont le pan rejeté sur l'épaule cachait la figure jusqu'aux yeux ;
un chapeau rabattu dérobait son front, et ne permettait pas
de distinguer ses traits non plus que s'il eût été masqué.
En voyant Isabelle et le baron, il s'effaça de son mieux contre
le mur ; ce n'était aucun des comédiens, retirés déjà dans leur
logis. Le Tyran était plus grand, le Pédant plus gros, le Léandre
plus svelte[1] ; il n'avait la tournure ni du Scapin ni du
Matamore, reconnaissable d'ailleurs à sa maigreur excessive
que l'ampleur de nul manteau n'eût pu dissimuler.

Ne voulant pas paraître curieux et gêner l'inconnu,
Sigognac se hâta de franchir le seuil de son logis, non sans avoir
remarqué toutefois que la porte de la chambre des tapisseries
où demeurait Zerbine restait discrètement entrebâillée,
comme attendant un visiteur qui ne voulait point être entendu.

Quand il fut enfermé chez lui, un imperceptible craquement de souliers, le faible bruit d'un verrou fermé avec
précaution, l'avertirent que le rôdeur, si soigneusement
embossé[2] dans sa cape, était arrivé à bon port.

Une heure environ après, le Léandre ouvrit sa porte très
doucement, regarda si le corridor était désert, et, suspendant
ses pas comme une bohémienne qui exécute la danse des
œufs, gagna l'escalier, le descendit plus léger et plus muet en
sa marche que ces fantômes errants dans les châteaux
hantés, suivit le mur en profitant de l'ombre, et se dirigea du
côté du parc vers un bosquet[3] ou salle de verdure dont le
centre était occupé par une statue de l'Amour discret tenant
le doigt appliqué sur la bouche. À cet endroit, sans doute
désigné d'avance, Léandre s'arrêta et parut attendre.

---

notes

1. svelte : élancé.

2. embossé : dissimulé sous une cape rabattue sur le visage.

3. bosquet : petit groupe d'arbres.

Nous avons dit que Léandre, interprétant à son avantage le sourire dont la marquise avait reconnu le salut qu'il lui avait fait, s'était enhardi à écrire à la dame de Bruyères une lettre que Jeanne[1], séduite par quelques pistoles, devait secrètement poser sur la toilette de sa maîtresse.

Cette lettre était conçue ainsi, et nous la recopions pour donner une idée du style qu'employait Léandre en ces séductions de grandes dames où il excellait, disait-il.

« Madame, ou plutôt déesse de beauté, ne vous en prenez qu'à vos charmes incomparables de la mésaventure qu'ils vous attirent. Ils me forcent, par leur éclat, à sortir de l'ombre où j'aurais dû rester enseveli, et à m'approcher de leur lumière, de même que les dauphins viennent du fond de l'Océan aux clartés que jettent les falots[2] des pêcheurs, encore qu'ils doivent y trouver le trépas et périr, sans pitié, sous les dards aigus des harpons. Je sais trop bien que je rougirai l'onde de mon sang, mais comme aussi bien je ne puis vivre, il m'est égal de mourir. C'est là une audace bien étrange, que d'élever cette prétention, réservée aux demidieux, de recevoir au moins le coup fatal de votre main. Je m'y risque, car, étant désespéré d'avance, il ne peut m'arriver rien de pis, et je préfère votre courroux[3] à votre mépris ou dédain. Pour donner le coup de grâce, il faut regarder la victime, et j'aurai, en expirant sous vos cruautés, cette douceur souveraine d'avoir été aperçu. Oui, je vous aime, madame, et si c'est un crime, je ne m'en repens point. Dieu souffre[4] qu'on l'adore ; les étoiles supportent l'admiration du plus humble berger ; c'est le sort des hautes perfections comme la vôtre de ne pouvoir être aimées que par des

---

1. Jeanne : servante de madame de Bruyères.

2. falots : grandes lanternes que l'on tient à la main.

3. courroux : colère.

4. souffre : accepte.

inférieurs, car elles n'ont point d'égales sur la terre : elles en ont à peine aux cieux. Je ne suis, hélas ! qu'un pauvre comédien de province, mais quand même je serais duc ou prince, comblé de tous les dons de la fortune, ma tête n'atteindrait

230 pas vos pieds, et il y aurait tout de même entre votre splendeur et mon néant la distance du sommet à l'abîme. Pour ramasser un cœur, il faudra toujours que vous vous baissiez. Le mien est, j'ose le dire, madame, aussi fier que tendre, et qui ne le repousserait pas trouverait en lui l'amour le plus

235 ardent, la délicatesse la plus parfaite, le respect le plus absolu, et un dévouement sans bornes. D'ailleurs, si une telle félicité m'arrivait, votre indulgence ne descendrait peut-être pas si bas qu'elle se l'imagine. Bien que réduit par le destin adverse et la rancune jalouse d'un grand à cette extrémité de me

240 cacher au théâtre sous le déguisement des rôles, je ne suis pas d'une naissance dont il faille rougir. Si j'osais rompre le secret que m'imposent des raisons d'État, on verrait qu'un sang assez illustre coule en mes veines. Qui m'aimerait, ne dérogerait pas. Mais j'en ai trop dit. Je ne serai toujours que

245 le plus humble et le plus prosterné de vos serviteurs, lors même que, par une de ces reconnaissances qui dénouent les tragédies, tout le monde me saluerait comme fils de Roi. Qu'un signe, le plus léger, me fasse comprendre que ma hardiesse n'a pas excité en vous une trop dédaigneuse colère,

250 et j'expirerai sans regret, brûlé par vos yeux, sur le bûcher de mon amour. »

Qu'aurait répondu la marquise à cette brûlante épître[1], qui peut-être avait servi plusieurs fois ? Il faudrait connaître bien à fond le cœur féminin pour le savoir. Par malheur, la

255 lettre n'arriva pas à son adresse. Entiché de[2] grandes dames,

notes

1. épître : lettre écrite généralement en vers.

2. entiché de : éprouvant un goût irréfléchi pour.

Léandre ne regardait point les soubrettes et n'était point galant avec elles. En quoi il avait tort, car elles peuvent beaucoup sur les volontés de leurs maîtresses. Si les pistoles eussent été appuyées de quelques baisers et lutineries,
260 Jeanne, satisfaite en son amour-propre de femme de chambre, qui vaut bien celui d'une reine, eût mis plus de zèle et de fidélité à s'acquitter de sa commission.

Comme elle tenait négligemment la lettre de Léandre à la main, le marquis la rencontra et lui demanda par manière
265 d'acquit[1], n'étant pas de sa nature un mari curieux, quel était ce papier qu'elle portait ainsi.

« Oh ! pas grand-chose, répondit-elle, une missive de M. Léandre à madame la marquise.

– De Léandre, l'amoureux de la troupe, celui qui faisait le
270 galant dans *Les Rodomontades du capitaine Matamore* ! Que peut-il écrire à ma femme ? Sans doute il lui demande quelque gratification.

– Je ne pense point, répondit la rancunière suivante ; en me remettant ce poulet[2], il poussait des soupirs et faisait des
275 yeux blancs comme un amoureux pâmé[3].

– Donne cette lettre, fit le marquis, j'y répondrai. N'en dis rien à la marquise. Ces baladins[4] sont parfois impertinents, et, gâtés par les indulgences qu'on a, ne savent point se tenir en leur place. »

280 En effet, le marquis, qui aimait assez se divertir, fit réponse au Léandre dans le même style avec une grande écriture seigneuriale, sur papier flairant le musc, le tout cacheté de cire d'Espagne parfumée et d'un blason de fantaisie, pour mieux entretenir le pauvre diable en ses imaginations amoureuses.

---

notes

1. acquit : acquit de conscience, pour éviter de le regretter ensuite.

2. poulet : billet galant, lettre d'amour.

3. pâmé : évanoui.

4. baladins : comédiens ambulants.

285   Quand Léandre rentra dans sa chambre après la représentation, il trouva sur la table, au lieu le plus apparent, un pli déposé par une main mystérieuse et portant cette suscription : « À monsieur Léandre. » Il l'ouvrit tout tremblant de bonheur et lut les phrases suivantes :

290   « Comme vous le dites trop bien pour mon repos, les déesses ne peuvent aimer que des mortels. À onze heures, quand tout dormira sur la terre, ne craignant plus l'indiscrétion des regards humains, Diane[1] quittera les cieux et descendra vers le berger Endymion[2]. Ce ne sera pas sur le 295 mont Latmus[3], mais dans le parc, au pied de la statue de l'Amour discret où le beau berger aura soin de sommeiller pour ménager la pudeur de l'immortelle, qui viendra sans son cortège de nymphes, enveloppée d'un nuage et dépouillée de ses rayons d'argent. »

300   Nous vous laissons à penser quelle joie inonda le cœur du Léandre à la lecture de ce billet, qui dépassait ses plus vaniteuses espérances. Il répandit sur sa chevelure et ses mains un flacon d'essence, mâcha un morceau de macis[4] pour avoir l'haleine fraîche, rebrossa ses dents, tourna la pointe de ses 305 boucles afin de les faire mieux friser et se rendit dans le parc à l'endroit indiqué, où, pour vous raconter ceci, nous l'avons laissé faisant le pied de grue[5].

   La fièvre de l'attente et aussi la fraîcheur nocturne lui causaient des frissons nerveux. Il tressaillait à la chute d'une 310 feuille, et tendait au moindre bruit une oreille exercée à

---

notes

1. Diane : déesse romaine de la Chasse.

2. Endymion : berger de la mythologie qui obtint de Zeus de conserver sa beauté dans un sommeil éternel.

3. mont Latmus : mont Latmos, en Grèce.

4. macis : écorce de la noix muscade, condiment aromatique utilisé en gastronomie.

5. faisant le pied de grue : attendant vainement (expression familière).

saisir au vol le murmure du souffleur[1]. Le sable criant sous son pied lui semblait faire un fracas énorme qu'on dût entendre du château. Malgré lui, l'horreur sacrée des bois l'envahissait et les grands arbres noirs inquiétaient son ima-
315 gination. Il n'avait pas peur précisément, mais ses idées prenaient une pente assez lugubre. La marquise tardait un peu, et Diane laissait trop longtemps Endymion les pieds dans la rosée. À un certain instant il lui sembla entendre craquer une branche morte sous un pas assez lourd. Ce ne pouvait être
320 celui de sa déesse. Les déesses glissent sur un rayon et elles touchent terre sans faire ployer la pointe d'une herbe.

« Si la marquise ne se hâte pas de venir, au lieu d'un galant plein d'ardeur, elle ne trouvera plus qu'un amoureux transi, pensait Léandre ; ces attentes où l'on se morfond ne valent
325 rien aux prouesses de Cythère[2]. » Il en était là de ses réflexions, lorsque quatre ombres massives se dégageant d'entre les arbres et de derrière le piédestal de la statue, vinrent à lui d'un mouvement concerté. Deux de ces ombres qui étaient les corps de grands marauds, laquais au
330 service du marquis de Bruyères, saisirent les bras du comédien, les lui maintinrent comme ceux des captifs qu'on veut lier, et les deux autres se mirent à le bâtonner en cadence. Les coups résonnaient sur son dos comme les marteaux sur l'enclume. Ne voulant point par ses cris attirer du monde et
335 faire connaître sa mésaventure, le pauvre fustigé[3] supporta héroïquement sa douleur. Mucius Scévola[4] ne fit pas

---

notes

1. souffleur : au théâtre, personne qui souffle leur texte aux comédiens en cas de trou de mémoire.

2. Cythère : île grecque, célèbre notamment pour son sanctuaire d'Aphrodite, déesse de l'Amour.

3. fustigé : battu avec un bâton.

4. Mucius Scévola : héros légendaire romain qui mit sa main dans un brasier pour se punir d'avoir échoué dans une de ses entreprises.

meilleure contenance le poing dans le brasier que Léandre sous le bâton.

La correction finie, les quatre bourreaux lâchèrent leur victime, lui firent une profonde salutation et se retirèrent sans avoir sonné mot.

Quelle chute honteuse ! Icare[1] tombant du haut du ciel n'en fit pas une plus profonde. Contusionné, brisé, moulu, Léandre, clopin-clopant[2], regagna le château courbant le dos, se frottant les côtes ; mais la vanité chez lui était si grande que l'idée d'une mystification ne lui vint pas. Son amour-propre trouvait plus expédient de donner à l'aventure un tour tragique. Il se disait que, sans doute, la marquise, épiée par un mari jaloux, avait été suivie, enlevée avant d'arriver au rendez-vous, et forcée, le poignard sur la gorge, à tout avouer. Il se la représentait à genoux, échevelée, demandant grâce au marquis, forcené[3] de colère, répandant des pleurs à foison[4] et promettant pour l'avenir de mieux résister aux surprises de son cœur. Même tout courbaturé de bastonnades, il la plaignait de s'être mise en tel péril à cause de lui, ne se doutant pas qu'elle ignorait l'histoire et reposait à cette heure fort tranquillement entre ses draps de toile de Hollande, bassinés[5] au bois de santal et à la cannelle.

En longeant le corridor, Léandre eut cette contrariété de voir Scapin dont la tête passait par l'hiatus[6] de la porte entre-bâillée et qui ricanait malicieusement. Il se redressa du mieux qu'il put, mais la maligne bête ne prit pas le change.

---

notes

1. Icare : héros grec, dans la mythologie, qui tomba dans la mer lorsque la cire qui maintenait ses ailes eut fondu à l'approche du Soleil.

2. clopin-clopant : en boitant.

3. forcené : fou.

4. à foison : en grande quantité, à flot.

5. bassinés : chauffés à la braise.

6. hiatus : discontinuité, coupure ; ici, ouverture.

Le lendemain, la troupe fit ses préparatifs de départ. On abandonna le char à bœufs comme trop lent, et le Tyran, 365 largement payé par le marquis, loua une grande charrette à quatre chevaux pour emmener la bande et ses bagages. Léandre et Zerbine se levèrent tard, pour des raisons qu'il n'est pas besoin d'indiquer davantage, seulement l'un avait la mine dolente[1] et piteuse[2], quoiqu'il essayât de faire à mau- 370 vais jeu bon visage ; l'autre rayonnait d'ambition satisfaite. Elle se montrait même bonne princesse envers ses com- pagnes, et la duègne, symptôme grave, se rapprochait d'elle avec des obséquiosités[3] patelines[4] qu'elle ne lui avait jamais montrées. Scapin, à qui rien n'échappait, remarqua que la 375 malle de Zerbine avait doublé de poids par quelque sortilège magique. Sérafina se mordait les lèvres en murmurant le mot « créature ! » que la soubrette ne fit pas semblant d'entendre, contente pour le moment de l'humiliation de la grande coquette.

380 Enfin, la charrette s'ébranla, et l'on quitta cet hospitalier château de Bruyères, que tous regrettaient, excepté Léandre. Le Tyran pensait aux pistoles qu'il avait reçues ; le Pédant, aux excellents vins dont il s'était largement abreuvé ; Matamore aux applaudissements qu'on lui avait prodigués ; 385 Zerbine, aux pièces de taffetas, aux colliers d'or et autres régals ; Sigognac et Isabelle ne pensaient qu'à leur amour, et contents d'être ensemble, ne retournèrent pas même la tête pour voir encore une fois à l'horizon les toits bleus et les murs vermeils du château.

---

notes

1. dolente : douloureuse.
2. piteuse : peu fière, honteuse.

3. obséquiosités : signes de respect proches de la servilité.

4. patelines : mielleuses, hypocrites.

Et l'on quitta cet hospitalier château de Bruyères…

Au fil du texte

Questions sur le chapitre V (pages 41 à 56)

QUE S'EST-IL PASSÉ ENTRE-TEMPS ?

1. Indiquez si les propositions suivantes sont vraies ou fausses.

                                                V   F

a) Les comédiens se font dévaliser par les tenanciers de l'auberge du *Soleil bleu*. ☐ ☐

b) Une petite fille, à l'auberge, agresse Isabelle. ☐ ☐

c) Les comédiens retrouvent dans les bois la petite fille de l'auberge. ☐ ☐

d) La petite fille, terrorisée, traverse les bois durant la nuit et croit apercevoir des fantômes. ☐ ☐

e) Agostin est un brigand de grand chemin. ☐ ☐

f) Chiquita est au service d'Agostin. ☐ ☐

g) Agostin est le chef de six brigands. ☐ ☐

h) Agostin parvient à tuer un comédien. ☐ ☐

i) Les comédiens donnent de l'argent à Agostin. ☐ ☐

j) Les comédiens accueillent Chiquita parmi eux. ☐ ☐

k) Isabelle donne son collier à Chiquita. ☐ ☐

l) Agostin décide de devenir comédien. ☐ ☐

AVEZ-VOUS BIEN LU ?

Complétez les phrases suivantes.

2. Le marquis habite le château de ....

3. Le marquis aide .... à descendre de la voiture.

4. .... aide Sigognac à s'habiller avec élégance.

5. Yolande de Foix voit .... et .... qui se promènent la nuit.

6. Yolande se couche de .... humeur.

7. .... a confié à Jeanne une épître destinée à ....

8. Léandre pense que la marquise lui a donné un .... ; il s'y rend et reçoit ....

mélioratifs :
qui donnent
une image
positive.

ÉTUDIER LE VOCABULAIRE ET LA GRAMMAIRE (L. I À 27, PP. 41-42)

9. Relevez les expressions qui s'opposent aux expressions suivantes : « *pleine terre végétale* » (l. 5-6), « *air de prospérité* » (l. 7-8), « *île Macarée* » (l. 10).

10. Que signifient les oppositions relevées dans la question précédente ?

11. Relevez les sujets inversés dans le deuxième paragraphe et commentez l'usage de cette inversion.

12. Relevez les adjectifs qualificatifs mélioratifs★. Quel est l'effet produit ?

13. À quel château, précédemment rencontré dans le roman, la demeure du marquis s'oppose-t-elle ?

ÉTUDIER L'IMBRICATION DES INTRIGUES AMOUREUSES

14. Quels sont les trois couples engagés dans une intrigue amoureuse ?

15. En quoi l'amour des deux personnages principaux du roman diffère-t-il de celui engagé dans les deux autres intrigues ?

16. Relevez trois expressions qui montrent que Zerbine sait séduire.

17. Comment Yolande de Foix conçoit-elle l'amour ?

ÉTUDIER LE STYLE DE LA LETTRE D'AMOUR ROMANESQUE (L. 205 À 251, PP. 49-50)

18. Relevez une métaphore filée★ au début de la lettre. Qu'exprime-t-elle ?

19. Relevez les expressions qui donnent une haute image de la marquise.

20. Relevez les adjectifs au superlatif. Quel est l'effet produit ?

21. Quel est le procédé de style★ utilisé dans le passage : « *mais quand même je serai duc ou prince* [...] *du sommet à l'abîme* » (l. 228 à 231) ? Que veut exprimer Léandre ? Quel est l'effet produit sur le lecteur ?

métaphore filée : métaphore (comparaison sans outil de comparaison) qui se poursuit sur plusieurs termes.

procédé de style : utilisation particulière du lexique ou de la syntaxe afin de mettre un élément en relief.

À VOS PLUMES !

22. Après avoir relu le passage au cours duquel le baron de Sigognac se métamorphose grâce à l'intervention de Blazius (l. 97 à 127, pp. 45-46), vous écrirez à votre tour la métamorphose d'un personnage féminin de votre âge et de votre époque grâce à un changement de costume.

23. Imaginez la lettre enflammée que la marquise pourrait écrire en réponse à Léandre.

Chapitre VI

Effet de neige

[Peu de temps après que le chariot a quitté le château de Bruyères, un envoyé du marquis vient chercher Zerbine, la soubrette. Elle le suit sans hésiter. Le baron interroge Isabelle sur son passé.]

« Comment se fait-il, disait tout en marchant Sigognac à Isabelle, que vous qui avez toutes les façons[1] d'une demoiselle de haut lignage[2] […], vous soyez ainsi attachée à cette troupe errante de comédiens […] ?

5   – Mon histoire est toute simple, et puisque ma vie vous inspire quelque curiosité, je vais vous la conter. Loin d'avoir été amenée à l'état que je fais par catastrophes du sort, ruines inouïes ou aventures romanesques, j'y suis née, étant, comme on dit, enfant de la balle. Le chariot

10 de Thespis a été mon lieu de nativité et ma patrie voyageuse. Ma mère, qui jouait les princesses tragiques, était une fort belle femme. Elle prenait ses rôles au sérieux, et même hors de la scène, elle ne voulait entendre parler que de rois, princes, ducs et autres grands, tenant pour véritables
15 ses couronnes de clinquant et ses sceptres de bois doré. Quand elle rentrait dans la coulisse, elle traînait si majestueusement le faux velours de ses robes qu'on eût dit que ce fût un flot de pourpre ou la propre queue d'un manteau royal. Avec cette superbe elle fermait opiniâtrement l'oreille aux aveux,
20 requêtes et promesses de ces galantins[1] qui toujours volettent autour des comédiennes comme papillons autour de la chandelle. Un soir même, en sa loge, comme un blondin[2] voulait s'émanciper[3], elle se dressa en pied, et s'écria comme une vraie Thomyris[4] reine de Scythie[5] : "Gardes ! qu'on le
25 saisisse !" d'un ton si souverain, dédaigneux et solennel, que le galant, tout interdit, se déroba de peur, n'osant pousser sa pointe. Or, ces fiertés et rebuffades[6] étranges en une comédienne toujours soupçonnée de mœurs légères étant venues à la connaissance d'un très haut et puissant prince, il les
30 trouva de bon goût, et se dit que ces mépris du vulgaire profane[7] ne pouvaient procéder que d'une âme généreuse. Comme son rang dans le monde équipollait[8] à celui de reine au théâtre, il fut reçu plus doucement et d'un sourcil moins farouche. Il était jeune, beau, parlait bien, était

notes

1. galantins : amoureux ridicules.

2. blondin : jeune homme blond.

3. s'émanciper : se libérer de la tutelle de ses parents, devenir adulte.

4. Thomyris : elle se vengea du roi des Perses qui avait fait tuer son mari.

5. Scythie : nom donné par les Grecs à la Russie méridionale.

6. rebuffades : refus marqués.

7. profane : ici, non-spécialiste.

8. équipollait : était équivalent.

35 pressant et possédait ce grand avantage de la noblesse. Que vous dirai-je de plus ? Cette fois la reine n'appela pas ses gardes, et vous voyez en moi le fruit de ces belles amours.

– Cela, dit galamment Sigognac, explique à merveille les grâces sans secondes dont on vous voit ornée. Un sang
40 princier coule dans vos veines. Je l'avais presque deviné !

– Cette liaison, continua Isabelle, dura plus longtemps que n'ont coutume les intrigues de théâtre. Le prince trouva chez ma mère une fidélité qui venait de l'orgueil autant que de l'amour, mais qui ne se démentit point. Malheu-
45 reusement des raisons d'État vinrent à la traverse ; il dut partir pour des guerres ou ambassades lointaines. D'illustres mariages qu'il retarda tant qu'il put furent négociés en son nom par sa famille. Il lui fallut céder, car il n'avait pas le droit d'interrompre, à cause d'un caprice amoureux, cette longue
50 suite d'ancêtres remontant à Charlemagne et de finir en lui cette glorieuse race. Des sommes assez fortes furent offertes à ma mère pour adoucir cette rupture devenue nécessaire, la mettre à l'abri du besoin et subvenir à ma nourriture et éducation. Mais elle ne voulut rien entendre, disant qu'elle
55 n'accepterait point la bourse sans le cœur, et qu'elle aimait mieux que le prince lui fût redevable que non pas elle rede-vable au prince, car elle lui avait donné, en sa générosité extrême, ce que jamais il ne lui pourrait rendre. "Rien avant, rien après", telle était sa devise. Elle continua donc son
60 métier de princesse tragique, mais la mort dans l'âme, et depuis ne fit que languir jusqu'à son trépas, qui ne tarda guère. J'étais alors une fillette de sept ou huit ans ; je jouais les enfants et les Amours et autres petits rôles proportionnés à ma taille et à mon intelligence. La mort de ma mère me
65 causa un chagrin au-dessus de mon âge, et je me souviens qu'il me fallut fouetter ce jour-là pour me forcer à jouer un

des enfants de Médée. Puis cette grande douleur s'apaisa par les cajoleries des comédiens et comédiennes qui me dorlotaient de leur mieux et comme à l'envi, me mettant toujours quelques friandises en mon petit panier. Le Pédant, qui faisait partie de notre troupe et déjà me semblait aussi vieux et ridé qu'aujourd'hui, s'intéressa à moi, m'apprit la récitation, harmonie et mesure des vers, les façons de dire et d'écouter, les poses, les gestes, physionomies congruantes[1] au discours, et tous les secrets d'un art où il excelle, quoique comédien de province, car il a de l'étude, ayant été régent de collège, et chassé pour incorrigible ivrognerie. Au milieu du désordre apparent d'une vie vagabonde, j'ai vécu innocente et pure, car pour mes compagnons qui m'avaient vue au berceau, j'étais une sœur ou une fille, et pour les godelureaux j'ai bien su d'une mine froide, réservée et discrète, les tenir à distance comme il convient, continuant hors de la scène mon rôle d'ingénue, sans hypocrisie ni fausse pudeur. »

Ainsi, tout en marchant, Isabelle racontait à Sigognac charmé l'histoire de sa vie et aventures.

« Et le nom de ce grand[2], dit Sigognac, le savez-vous ou l'avez-vous oublié ?

— Il serait peut-être dangereux pour mon repos de le dire, répondit Isabelle, mais il est resté gravé dans ma mémoire.

— Existe-t-il quelque preuve de sa liaison avec votre mère ?

— Je possède un cachet armorié de son blason, dit Isabelle, c'est le seul joyau que ma mère ait gardé de lui à cause de sa noblesse et signification héraldique[3] qui effaçait l'idée de valeur matérielle, et si cela vous amuse, je vous le montrerai un jour. »

notes

1. congruantes : appropriées.

2. grand : aristocrate de haut rang.

3. héraldique : représentation des familles nobles sur des blasons.

[Une tempête de neige se lève et les comédiens s'aperçoivent de la disparition de Matamore. Ils se lancent à sa recherche.]

L'orage avait bouleversé la neige de façon à effacer toute trace ou du moins à en rendre l'empreinte incertaine. La nuit rendait d'ailleurs la recherche difficile, et quand Blazius approchait la lanterne du sol, il trouvait parfois le grand pied
100 du Tyran moulé en creux dans la poussière blanche, mais non pas le pas de Matamore, qui, fût-il venu jusque-là, n'eût marqué non plus que celui d'un oiseau.

Ils firent ainsi près d'un quart de lieue, élevant la lanterne pour attirer le regard du comédien perdu et criant de
105 toute la force de leurs poumons : « Matamore, Matamore, Matamore ! »

À cet appel semblable à celui que les anciens adressaient aux défunts avant de quitter le lieu de sépulture, le silence seul répondait ou quelque oiseau peureux s'envolait en
110 glapissant[1] avec une brusque palpitation d'ailes pour s'aller perdre plus loin dans la nuit. Parfois un hibou offusqué[2] de la lumière piaulait d'une façon lamentable. Enfin, Sigognac, qui avait la vue perçante, crut démêler à travers l'ombre, au pied d'un arbre, une figure d'aspect fantasmatique, étran-
115 gement roide et sinistrement immobile. Il en avertit ses compagnons, qui se dirigèrent avec lui de ce côté en toute hâte.

C'était bien, en effet, le pauvre Matamore. Son dos s'appuyait contre l'arbre et ses longues jambes étendues sur le sol disparaissaient à demi sous l'amoncellement de la
120 neige. Son immense rapière, qu'il ne quittait jamais, faisait avec son buste un angle bizarre, et qui eût été risible en

notes
_____

1. glapissant : poussant des cris aigus. **2. offusqué :** choqué.

C'était bien, en effet, le pauvre Matamore.

toute autre circonstance. Il ne bougea pas plus qu'une souche à l'approche de ses camarades. Inquiété de cette fixité d'attitude, Blazius dirigea le rayon de la lanterne sur le visage 125 de Matamore, et il faillit la laisser choir[1], tant ce qu'il vit lui causa d'épouvante.

Le masque ainsi éclairé n'offrait plus les couleurs de la vie. Il était d'un blanc de cire. Le nez pincé aux ailes par les doigts noueux de la mort luisait comme un os de seiche ; la 130 peau se tendait sur les tempes. Des flocons de neige s'étaient arrêtés aux sourcils et aux cils, et les yeux dilatés regardaient comme deux yeux de verre. À chaque bout des moustaches scintillait un glaçon dont le poids les faisait courber. Le cachet de l'éternel silence scellait ces lèvres d'où s'étaient 135 envolées tant de joyeuses rodomontades[2], et la tête de mort sculptée par la maigreur apparaissait déjà à travers ce visage pâle, où l'habitude des grimaces avait creusé des plis horriblement comiques, que le cadavre même conservait, car c'est une misère du comédien, que chez lui le trépas ne puisse 140 garder sa gravité.

Nourrissant encore quelque espoir, le Tyran essaya de secouer la main de Matamore, mais le bras déjà roide retomba tout d'une pièce avec un bruit sec comme le bras de bois d'un automate dont on abandonne le fil. Le pauvre 545 diable avait quitté le théâtre de la vie pour celui de l'autre monde.

[Matamore est enterré dans le village voisin et les comédiens reprennent la route.]

---

notes

1. choir : tomber.   *2. rodomontades :* fanfaronnades.

Où le roman justifie son titre

[La situation financière de la troupe est inquiétante et il leur est difficile de jouer leur répertoire sans Zerbine et Matamore.]

« Mais quelle pièce jouerons-nous, dit Scapin, au cas où le village se rencontrerait à propos ? Notre répertoire est fort détraqué. Les tragédies et tragi-comédies seraient du pur hébreu pour ces rustiques ignorants de l'histoire
5 et de la fable, et n'entendant pas même le beau langage français. Il faudrait quelque bonne farce réjouissante, saupoudrée non de sel attique[1], mais de sel gris, avec force bastonnades[2], coups de pied au cul, chutes ridicules et

<u>notes</u>

1. attique : athénien (Athènes est un haut lieu de la Tragédie antique).

2. bastonnades : coups de bâton.

scurrilités[1] bouffonnes à l'italienne[2]. *Les Rodomontades du*
10 *capitaine Matamore* eussent merveilleusement convenu. Par
malheur Matamore a vécu, et ce n'est plus qu'aux vers qu'il
débitera ses tirades. »

Lorsque Scapin eut dit, Sigognac fit signe de la main qu'il
voulait parler. Une légère rougeur, dernière bouffée envoyée
15 du cœur aux joues par l'orgueil nobiliaire, colorait son visage
pâle ordinairement, même sous l'âpre[3] morsure de la bise.
Les comédiens restèrent silencieux et dans l'attente.

« Si je n'ai pas le talent de ce pauvre Matamore, j'en ai
presque la maigreur. Je prendrai son emploi et le remplace-
20 rai de mon mieux. Je suis votre camarade et veux l'être tout
à fait. Aussi bien j'ai honte d'avoir profité de votre bonne
fortune et de vous être inutile en l'adversité. D'ailleurs, qui
se soucie des Sigognac au monde ? Mon manoir croule en
ruine sur la tombe de mes aïeux. L'oubli recouvre mon nom
25 jadis glorieux, et le lierre efface mon blason sur mon porche
désert. Peut-être un jour les trois cigognes secoueront-elles
joyeusement leurs ailes argentées et la vie reviendra-t-elle
avec le bonheur à cette triste masure où se consumait ma
jeunesse sans espoir. En attendant, vous qui m'avez tendu la
30 main pour sortir de ce caveau, acceptez-moi franchement
pour l'un des vôtres. Je ne m'appelle plus Sigognac. »

Isabelle posa sa main sur le bras du baron comme pour
l'interrompre, mais Sigognac ne prit pas garde à l'air suppliant de la jeune fille et il continua.

---

notes

1. scurrilités :
bouffonneries.

2. à l'italienne : le théâtre
italien *(commedia dell'arte)*
prône l'improvisation.

3. âpre : rude, violente.

35 « Je plie mon titre de baron et le mets au fond de mon porte-manteau, comme un vêtement qui n'est plus de mise. Ne me le donnez plus. Nous verrons si, déguisé de la sorte, je serai reconnu par le malheur. Donc je succède à Matamore et prends pour nom de guerre : le capitaine Fracasse[1] !

40 —Vive le capitaine Fracasse ! s'écria toute la troupe en signe d'acceptation, que les applaudissements le suivent partout ! »

Cette résolution, qui d'abord étonna les comédiens, n'était pas si subite qu'elle en avait l'air. Sigognac la méditait depuis longtemps déjà. Il rougissait d'être le parasite de ces 45 honnêtes baladins qui partageaient si généreusement avec lui leurs propres ressources, sans lui faire jamais sentir qu'il fût importun, et il jugeait moins indigne d'un gentilhomme de monter sur les planches pour gagner bravement sa part que de l'accepter en paresseux, comme aumône ou 50 sportule[2]. La pensée de retourner à Sigognac s'était bien présentée à lui, mais il l'avait repoussée comme lâche et vergogneuse[3]. Ce n'est pas au temps de la déroute que le soldat doit se retirer. D'ailleurs eût-il pu s'en aller, son amour pour Isabelle l'eût retenu, et puis, quoiqu'il n'eût point 55 l'esprit facile aux chimères[4], il entrevoyait dans de vagues perspectives toutes sortes d'aventures surprenantes, de revirements et de coups de fortune auxquels il eût fallu renoncer en se confinant[5] dans sa gentilhommière.

Les choses ainsi réglées, on attela le cheval au chariot et 60 l'on se remit en route.

---

notes

1. capitaine Fracasse : personnage type de la comédie italienne, proche du Matamore.

2. sportule : dans la Rome antique, don en comestibles d'un patron à ses clients.

3. vergogneuse : honteuse.

4. chimères : rêves irréalisables.

5. en se confinant : en restant enfermé.

[L'unique cheval qui tire le chariot étant mort, les comédiens poursuivent leur chemin à pied et font halte chez Bellombre, un ancien comédien qui les accueille à bras ouverts.

Pendant ce temps, le brigand Agostin et la petite Chiquita découvrent le chariot et s'y reposent. Lorsque les comédiens retrouvent leur chariot pour le ramener à la ferme, Isabelle ramasse un couteau tombé de la poche de Chiquita sur lequel est inscrite une devise.

La troupe donne une représentation et le capitaine Fracasse est applaudi.]

L'unique cheval qui tire le chariot est mort.

Au fil du texte

AVEZ-VOUS BIEN LU ?

1. Complétez les phrases suivantes.

a) .... pense qu'Isabelle
a « *toutes les façons d'une demoiselle de haut lignage* ».

b) .... jouait les princesses tragiques.

c) .... d'Isabelle est un prince.

d) Le prince est contraint de se marier parce
qu'il n'a pas le droit d'interrompre ....

....

e) Isabelle est âgée de .... au décès de
sa mère.

f) À la question de savoir si elle connaît le nom
de son père, Isabelle répond : « ....

.... ».

g) La preuve des origines nobles d'Isabelle est

....

h) .... meurt lors d'une tempête de neige.

i) Scapin pense que la pièce ....

.... aurait convenu à un public de villageois.

j) Au théâtre, ... succède au comédien

décédé sous le nom de ....

ÉTUDIER LE VOCABULAIRE ET LA GRAMMAIRE (L. 1 À 95, PP. 60 À 63)

2. Relevez toutes les phrases interrogatives dans
les répliques de Sigognac et précisez si elles sont
totales ou partielles.

3. Quel rôle jouent ces phrases interrogatives dans le retour en arrière ?

4. Quels sont les autres types de phrases dans les paroles de Sigognac ? Quelle est leur valeur ?

5. Relevez, dans la première tirade d'Isabelle, les marques grammaticales de la première personne puis précisez leur classe grammaticale★ ainsi que leur fonction.

6. Où se situent, dans cette même tirade, les indices de la première personne ? Quelle conclusion peut-on tirer ?

7. Relevez le champ lexical★ de la noblesse et commentez sa présence dans le passage.

classe grammaticale : nature d'un mot ; on distingue les classes de mots variables (noms, pronoms…) et les classes de mots invariables (prépositions, adverbes…).

champ lexical : ensemble des termes qui se rapportent à une même notion.

discours narratif : discours oral ou écrit dans lequel l'auteur raconte une histoire.

discours descriptif : discours oral ou écrit dans lequel l'auteur décrit une situation, un paysage, ou bien un personnage.

ÉTUDIER UN TOURNANT DU ROMAN

8. Expliquez le titre du chapitre VII.

9. Quels éléments précis motivent la décision de Sigognac dans le chapitre VII ?

10. Relevez les expressions qui indiquent que cette décision n'est pas facile à prendre. Pourquoi ?

11. En quoi cet épisode marque-t-il un tournant dans l'histoire ?

ÉTUDIER LE PORTRAIT ET SON INSERTION DANS LE RÉCIT (L. 96 À 146, PP. 65-66)

12. Dégagez le plan du texte en distinguant nettement le discours narratif★ du discours descriptif★.

13. Quels sont, dans le premier passage narratif, les différents éléments qui annoncent la mort de Matamore ?

14. Dans le portrait (« *Le masque* [...] *l'autre monde* », l. 126-146), relevez le champ lexical du visage et déduisez-en la composition du portrait.

15. Relevez le champ lexical de la mort dans le passage consacré au portrait.

16. En quoi consiste la « *misère du comédien* » (l. 139) dont parle Gautier à la fin du portrait ?

LIRE L'IMAGE

17. Quelle est la lumière que l'on voit briller en arrière-plan de l'image page 65 ?

18. Dans quelle mesure la gravure est-elle en accord avec le portrait de Matamore (l. 112 à 140, pp. 65-66) ?

À VOS PLUMES !

19. À la manière de Gautier dans le chapitre VI, décrivez un paysage heureux puis introduisez le portrait d'un personnage lui aussi heureux.

20. Sigognac devient acteur de théâtre dans le chapitre VII : avant de prendre une décision aussi déterminante, le héros réfléchit. Imaginez son monologue intérieur.

Les choses se compliquent

[Les comédiens qui ont retrouvé une certaine aisance financière s'installent aux *Armes de France*, la plus belle auberge de Poitiers. Zerbine, que le marquis a comblée de cadeaux, vient retrouver sa place dans la troupe, persuadée que le marquis ne tardera pas à la rejoindre à Poitiers.

Pendant ce temps, le jeune et séduisant duc de Vallombreuse, accompagné de son fidèle ami, le chevalier de Vidalinc, ayant aperçu Isabelle à sa fenêtre, est tombé sous le charme de la jeune fille.]

Quelques minutes après, les deux jeunes gens entraient aux *Armes de France* et demandaient maître Bilot. Le digne aubergiste, connaissant la qualité de ses hôtes, les conduisit lui-même en une chambre basse bien tendue où brillait dans une cheminée à large manteau un feu pétillant et clair. Il prit des mains du sommelier la bouteille grise de poussière et tapissée de toile d'araignée, la décoiffa de son casque de cire avec des

10   précautions infinies, extirpa du goulot, sans secousse, le
bouchon tenace, et d'une main aussi ferme que si elle eût
été coulée en bronze versa un fil de liqueur blond comme
la topaze[1] dans les verres de Venise[2] à pied en spirale que
lui tendaient le duc et le chevalier. En faisant ce métier
d'échanson[3], Bilot affecta une religieuse gravité, on eût dit
15   un prêtre de Bacchus[4] officiant et célébrant les mystères de
la dive[5] bouteille ; il ne lui manquait que d'être couronné
de lierre ou de pampre[6]. Ces cérémonies augmentaient la
valeur du vin qu'il servait, lequel était réellement fort bon et
plus digne d'une table royale que d'un cabaret.

20   Il allait se retirer quand Vallombreuse d'un clin d'œil
mystérieux l'arrêta sur le seuil :

« Maître Bilot, lui dit-il, prenez un verre au dressoir[7] et
buvez à ma santé une rasade de ce vin. »

Le ton n'admettait pas de réplique, et d'ailleurs Bilot ne
25   se faisait pas prier pour aider un hôte à consommer les
trésors de son cellier. Il éleva son verre en saluant et en vida
le contenu jusqu'à la dernière perle. « Bon vin », dit-il avec
un friand clappement de langue contre le palais, puis il resta
debout la main appuyée au rebord de la table, les yeux fixés
30   sur le duc, attendant ce qu'on voulait de lui.

« As-tu beaucoup de monde dans ton auberge ? dit
Vallombreuse, et de quelle sorte ?... » Bilot allait répondre,
mais le jeune duc prévint la phrase de l'hôtelier et continua.
« À quoi bon finasser avec un vieux mécréant[8] tel que toi ?

---

notes

1. topaze : pierre jaune orangé.

2. Venise : ville italienne, réputée, entre autres, pour son industrie du verre (verrerie).

3. échanson : personne chargée de verser à boire.

4. Bacchus : dieu du Vin chez les Latins.

5. dive : divine (désigne la bouteille de vin).

6. pampre : jeune pousse de vigne.

7. dressoir : meuble dans lequel on range la vaisselle.

8. mécréant : qui n'a pas de religion.

35 Quelle est la femme qui habite cette chambre dont la fenêtre donne sur la ruelle en face l'hôtel Vallombreuse, la troisième croisée en partant de l'angle du mur ? Réponds vite, tu auras une pièce d'or par syllabe.

— À ce prix, dit Bilot avec un large rire, il faudrait être
40 bien vertueux pour employer le style laconique[1] tant estimé des anciens. Cependant comme je suis tout dévoué à Votre Seigneurie, je n'userai que d'un seul mot : Isabelle !

— Isabelle ! nom charmant et romanesque, dit Vallombreuse ; mais n'use pas de cette sobriété lacédémonienne[2].
45 Sois prolixe[3] et raconte-moi par le menu tout ce que tu sais de cette infante[4].

— Je vais me conformer aux ordres de Sa Seigneurie, répondit maître Bilot en s'inclinant. Mon cellier, ma cuisine, ma langue sont à sa disposition. Isabelle est une comédienne
50 qui appartient à la troupe du seigneur Hérode présentement logé à l'hôtel des *Armes de France*.

— Une comédienne, dit le jeune duc avec un air de désappointement[5], je l'aurais plutôt prise à sa mine discrète et réservée pour une dame de qualité ou bourgeoise cossue
55 que pour une baladine errante.

— On peut s'y tromper, continua Bilot, la demoiselle a des façons fort décentes. Elle joue le rôle d'ingénue au théâtre et le continue à la ville. Sa vertu, quoique fort exposée, car elle est jolie, n'a reçu aucune brèche et aurait le droit de se
60 coiffer du chapeau virginal. Nul ne sait mieux éconduire[6]

---

notes

1. laconique : qui économise les mots.

2. lacédémonienne : de Lacédémone (Sparte), ville grecque réputée pour la rigueur de ses coutumes.

3. prolixe : qui se perd en mots superflus.

4. infante : fille d'un roi d'Espagne ou du Portugal.

5. désappointement : déception.

6. éconduire : refuser, repousser les avances d'un amoureux.

un galant par une politesse exacte et glacée qui ne laisse pas d'espoir.

– Ceci me plaît, fit Vallombreuse, je ne hais rien tant que ces facilités trop ouvertes et ces places qui battent la cha-
65 made, demandant à capituler devant même qu'on ait donné l'assaut.

– Il en faudra plus d'un pour emporter cette citadelle, dit Bilot, quoique vous soyez un hardi et brillant capitaine peu habitué à rencontrer de résistance, d'autant qu'elle est gardée
70 par la sentinelle vigilante d'un amour pudique.

– Elle a donc un amant, cette sage Isabelle ! s'écria le jeune duc d'un ton à la fois triomphant et dépité, car d'une part il ne croyait guère à la vertu des femmes, et de l'autre cela le contrariait d'apprendre qu'il avait un rival.
75 – J'ai dit amour et non pas amant, continua l'aubergiste avec une respectueuse insistance, ce n'est pas la même chose, Votre Seigneurie est trop experte en matière de galanterie pour ne point apprécier cette différence bien qu'elle ait l'air subtil. Une femme qui a un amant peut en avoir deux,
80 comme dit la chanson, mais une femme qui a un amour est impossible ou du moins fort malaisée à vaincre. Elle possède ce que vous lui offrez.

– Tu raisonnes là-dessus, dit Vallombreuse, comme si tu eusses étudié les cours d'amour et les sonnets de Pétrarque[1].
85 Je ne te croyais docte[2] qu'en fait de sauces et de vins ; et quel est l'objet de cette platonique[3] tendresse ?

– Un comédien de la troupe, répondit Bilot, que j'ima-
ginerais volontiers engagé par amourette, car il ne me semble pas avoir les allures d'un histrion[4] vulgaire.

1. Pétrarque : poète italien du xive siècle.

2. docte : savant.

3. platonique : passion idéale sans réalisation charnelle.

4. histrion : comédien, bouffon.

90 — Eh bien, dit le chevalier de Vidalinc à son ami, vous devez être content. Voilà des obstacles imprévus qui se présentent. Une comédienne vertueuse, cela ne se rencontre pas tous les jours, et c'est affaire à vous. Cela vous reposera des grandes dames et des courtisanes. »

[Bilot suggère aux deux amis de retrouver Isabelle au jeu de paume où a lieu la répétition du spectacle prévu pour le lendemain. Le jeune duc saisit l'occasion.]

95 Vallombreuse, suivi de son ami Vidalinc, n'avait eu garde de manquer cette occasion de voir Isabelle. Il la trouva plus jolie encore de près que de loin et sa passion s'en accrut d'autant. Ce jeune duc s'était adonisé[1] pour la circonstance, et de fait il était admirablement beau. Il portait un magni-
100 fique costume de satin blanc, bouillonné et relevé d'agré-ments et de nœuds cerise attachés par des ferrets[2] de diamants. Des flots de linge fin et de dentelles débordaient des manches du pourpoint ; une riche écharpe en toile d'argent soutenait l'épée ; un feutre blanc à plume incar-
105 nadine[3] se balançait à la main emprisonnée dans un gant à la frangipane[4].
Ses cheveux noirs et longs, frisés en minces boucles, se contournaient le long de ses joues d'un ovale parfait et en faisaient valoir la chaude pâleur. Sous sa fine moustache
110 ses lèvres brillaient rouges comme des grenades[5] et ses yeux

notes

1. adonisé : soigné pour séduire (Adonis : dieu grec réputé pour sa beauté).

2. ferrets : petits embouts fixés aux extrémités d'un lacet servant à fermer un vêtement.

3. incarnadine : rose.

4. frangipane : parfum destiné au cuir des gants.

5. grenades : petits fruits rouges.

étincelaient entre deux épaisses franges de cils. Son col blanc et rond comme une colonne de marbre supportait fièrement sa tête et sortait dégagé d'un rabat en point de Venise du plus grand prix.

115 Cependant il y avait quelque chose de déplaisant dans toute cette perfection. Ces traits si fins, si purs, si nobles, étaient déparés par une expression anti-humaine, si l'on peut employer ce terme. Évidemment les douleurs et les plaisirs des hommes ne touchaient que fort peu le porteur de ce
120 visage implacablement beau. Il devait se croire et se croyait en effet d'une espèce particulière.

Vallombreuse s'était placé silencieusement près de la toilette[1] d'Isabelle, son bras appuyé sur le cadre du miroir de manière à ce que les yeux de la comédienne, obligée de
125 consulter la glace à chaque minute, dussent souvent le rencontrer. C'était une manœuvre savante et de bonne tactique amoureuse qui eût réussi, sans doute, avec toute autre que notre ingénue. Il voulait, avant de parler, frapper un coup par sa beauté, sa mine altière et sa magnificence.

130 Isabelle, qui avait reconnu le jeune audacieux de la ruelle et que ce regard d'une ardeur impérieuse gênait, gardait la plus extrême réserve et ne détournait pas sa vue du miroir. Elle ne semblait pas s'être aperçue qu'il y avait devant elle planté un des plus beaux seigneurs de la France, mais c'était
135 une singulière fille qu'Isabelle.

Ennuyé de cette pose, Vallombreuse prit son parti brusquement et dit à la comédienne :

« N'est-ce pas vous, mademoiselle, qui jouez Sylvie dans la pièce de *Lygdamon et Lydias* de M. de Scudéry[2] ?

140 — Oui, monsieur, répondit Isabelle qui ne pouvait se soustraire à cette question habilement banale.

— Jamais rôle n'aura été mieux rempli, continua Vallombreuse. S'il est mauvais, vous le rendrez bon ; s'il est bon, vous le ferez excellent. Heureux les poètes qui confient 145 leurs vers à ces belles lèvres ! »

Ces vagues compliments ne sortaient pas des galanteries que les gens qui ont de la politesse adressent d'habitude aux comédiennes, et Isabelle dut les accepter, en remerciant le duc d'une faible inclination de tête.

150 Sigognac ayant, avec l'aide de Blazius, achevé de s'habiller en la logette[1] du jeu de paume réservée aux comédiens, rentra dans la chambre des actrices pour attendre que la répétition commençât. Il était masqué et avait déjà bouclé le ceinturon de la grande rapière à lourde coquille terminée 155 par une toile d'araignée, héritage du pauvre Matamore. Sa cape écarlate déchiquetée en barbe d'écrevisse flottait bizarrement sur ses épaules et le bout de l'épée en relevait le bord. Pour se conformer à l'esprit de son rôle, il marchait la hanche en avant et fendu comme un compas, d'un air 160 outrageux[2] et provoquant comme il sied à un capitaine Fracasse.

« Vous êtes vraiment très bien, lui dit Isabelle qu'il vint saluer, et jamais capitan[3] espagnol n'eut mine plus superbement arrogante. »

Le duc de Vallombreuse toisa avec la plus dédaigneuse 165 hauteur ce nouveau venu à qui la jeune comédienne parlait d'un ton si doux : « Voilà apparemment le faquin[4] dont on la prétend amoureuse », se dit-il à lui-même, tout enfiellé de dépit, car il ne concevait point qu'une femme pût hésiter

---

notes

1. logette : petite loge.
2. outrageux : excessif.

3. capitan : personnage de la comédie italienne, fanfaron.

4. faquin : homme méprisable et impertinent.

un instant entre le jeune et splendide duc de Vallombreuse
170 et ce ridicule histrion.

Au reste, il fit semblant de ne pas s'apercevoir que
Sigognac fût là. Il ne comptait pas plus sa présence que celle
d'un meuble. Pour lui ce n'était pas un homme, mais une
chose, et il agissait devant le baron avec la même liberté que
175 s'il eût été seul, couvant Isabelle de ses regards enflammés
qui s'arrêtaient sur une naissance de gorge[1] laissée à découvert par l'échancrure de la chemisette.

Isabelle, confuse, se sentait rougir, malgré elle, sous ce
regard insolemment fixe, chaud comme un jet de plomb
180 fondu, et elle se hâtait de terminer sa toilette pour s'y déro-
ber, d'autant plus qu'elle voyait la main de Sigognac, furieux,
se crisper convulsivement sur le pommeau de sa rapière.

Elle se posa une mouche[2] au coin de la lèvre et fit mine
de se lever pour passer sur le théâtre, car le Tyran, avec sa voix
185 de taureau, avait déjà crié plusieurs fois : « Mesdemoiselles,
êtes-vous prêtes ? »

« Permettez, mademoiselle, dit le duc ; vous oubliez de
mettre une assassine. »

Et Vallombreuse, plongeant un doigt dans la boîte à
190 mouches posée sur la toilette, en retira une petite étoile de
taffetas noir.

« Souffrez, continua-t-il, que je vous la pose ; ici, tout près
du sein ; elle en relèvera la blancheur et paraîtra comme un
grain de beauté naturel. »

195 L'action accompagna le discours si vite qu'Isabelle,
effarouchée de cette outrecuidance[3], eut à peine le temps de

---

notes

1. gorge : poitrine.

2. mouche : faux grain
de beauté que les femmes
employaient pour souligner
la blancheur de leur teint.

3. outrecuidance :
arrogance, trop grande
confiance en soi.

se renverser le dos sur sa chaise pour éviter l'insolent contact ; mais le duc n'était pas de ceux qui s'intimidaient aisément, et son doigt moucheté allait effleurer la gorge de la jeune comédienne lorsqu'une main de fer s'abattit sur son bras et le maintint comme dans un étau.

Le duc de Vallombreuse, transporté de rage, retourna la tête et vit le capitaine Fracasse campé dans une pose qui ne sentait point son poltron de comédie.

« Monsieur le duc, dit Fracasse en tenant toujours le poignet de Vallombreuse, mademoiselle pose ses mouches elle-même. Elle n'a besoin des services de personne. »

Cela dit, il lâcha le bras du jeune seigneur, dont le premier mouvement fut de chercher la garde de son épée. En ce moment Vallombreuse, malgré sa beauté, avait une tête plus horrible et formidable que celle de Méduse[1]. Une pâleur affreuse couvrait son visage, ses noirs sourcils s'abaissaient sur ses yeux injectés de sang. La pourpre de ses lèvres prenait une couleur violette et blanchissait d'écume ; ses narines palpitaient comme aspirant le carnage. Il s'élança vers Sigognac, qui ne rompit pas d'une semelle, attendant l'assaut ; mais, tout à coup, il s'arrêta. Une réflexion soudaine éteignit, comme une douche d'eau glacée, sa bouillante frénésie. Ses traits se remirent en place ; les couleurs naturelles lui revinrent, il avait complètement repris possession de lui-même, et son visage exprimait le dédain[2] le plus glacial, le mépris le plus suprême qu'une créature humaine puisse témoigner à une autre. Il venait de penser que son adversaire n'était pas né et qu'il avait failli se commettre avec un

notes

1. Méduse : dans la mythologie grecque, une des trois Gorgones dont le regard est mortel.

2. dédain : mépris.

225 histrion. Tout son orgueil nobiliaire se révoltait à cette idée. L'insulte partie de si bas ne pouvait l'atteindre ; se bat-on avec la boue qui vous éclabousse ? Cependant il n'était pas dans sa nature de laisser une offense impunie d'où qu'elle vînt, et, se rapprochant de Sigognac, il lui dit : « Drôle, je te 230 ferai rompre les os par mes laquais !

– Prenez garde, monseigneur, répondit Sigognac du ton le plus tranquille et de l'air le plus détaché du monde, prenez garde, j'ai les os durs et les bâtons s'y briseront comme verre. Je ne reçois de volée que dans les comédies.

235 – Quelque insolent que tu sois, maraud, je ne te ferai pas l'honneur de te battre moi-même. C'est une ambition qui passe tes mérites, dit Vallombreuse.

– C'est ce que nous verrons, monsieur le duc, répliqua Sigognac. Peut-être bien, ayant moins de fierté, vous battrai-240 je de mes propres mains.

– Je ne réponds pas à un masque, fit le duc en prenant le bras de Vidalinc qui s'était rapproché.

– Je vous montrerai mon visage, duc, en lieu et en temps opportun[1], reprit Sigognac, et je crois qu'il vous sera plus 245 désagréable encore que mon faux nez. Mais brisons là. Aussi bien j'entends la sonnette qui tinte, et je courrais risque en tardant davantage de manquer mon entrée[2]. »

Les comédiens admiraient son courage, mais, connaissant la qualité du baron, ne s'en étonnaient pas comme les autres 250 spectateurs de cette scène, interdits d'une telle audace. L'émotion d'Isabelle avait été si vive que le fard lui en était tombé, et que Zerbine, voyant la pâleur mortelle qui les couvrait, avait été obligée de lui mettre un pied de rouge sur

notes

1. opportun : qui convient.   **2. entrée :** entrée en scène d'un comédien au théâtre.

les joues. À peine pouvait-elle se tenir sur ses jambes, et si la
255 soubrette ne lui eût soutenu le coude, elle aurait piqué du
nez sur les planches en entrant en scène. Être l'occasion
d'une querelle était profondément désagréable à la douce,
bonne et modeste Isabelle, qui ne redoutait rien tant que le
bruit et l'éclat qui se font autour d'une femme, la réputation
260 y perdant toujours ; d'ailleurs, quoique résolue à ne lui point
céder, elle aimait tendrement Sigognac, et la pensée d'un
guet-apens, ou tout au moins d'un duel, à quoi il était
exposé, la troublait plus qu'on ne saurait dire.

Malgré cet incident, la répétition marcha son train, les
265 émotions réelles de la vie ne pouvant distraire les comédiens
de leurs passions fictives. Isabelle même joua très bien, quoiqu'elle eût le cœur plein de souci. Quant à Fracasse, excité
par la querelle, il se montra étincelant de verve[1]. Zerbine se
surpassa. Chacun de ses mots soulevait des rires et des batte-
270 ments de mains prolongés. Du coin de l'orchestre partait
avant tous les autres un applaudissement qui ne cessait que
le dernier et dont la persistance enthousiaste finit par attirer
l'attention de Zerbine.

La soubrette, feignant un jeu de scène, s'avança près des
275 chandelles, allongea le col avec un mouvement d'oiseau
curieux qui passe sa tête entre deux feuilles, plongea le
regard dans la salle et découvrit le marquis de Bruyères tout
rouge de satisfaction et dont les yeux pétillants de désir flam-
baient comme des escarboucles[2]. Il avait retrouvé la Lisette,
280 la Marton, la Sméraldine[3] de son rêve ! Il était aux anges.

---

notes

1. verve : manière de parler
enthousiaste et brillante.

2. escarboucles : grenats
(pierres rouges).

**3. Lisette, Marton,
Sméraldine :** noms donnés
traditionnellement
aux servantes délurées
de la comédie.

« Monsieur le marquis est arrivé, dit tout bas Zerbine à Blazius qui jouait Pandolphe, dans l'intervalle d'une demande à une réplique avec cette voix à bouche close que les acteurs savent prendre lorsqu'ils causent entre eux sur le
285 théâtre et ne veulent point être entendus par le public ; vois comme il jubile, comme il rayonne, comme il est passionné ! Il ne se tient pas d'aise, et n'était la vergogne[1], il sauterait par-dessus la rampe pour me venir embrasser devant tout le monde ! Ah ! monsieur de Bruyères, les soubrettes vous
290 plaisent. Eh bien ! l'on vous en fricassera avec sel, piment et muscade. »

À partir de cet endroit de la pièce, Zerbine fit feu des quatre pieds et joua avec une verve enragée. Elle semblait lumineuse à force de gaieté, d'esprit et d'ardeur. Le marquis
295 comprit qu'il ne pourrait plus se passer désormais de cette âcre sensation. Toutes les autres femmes dont il avait eu les bonnes grâces, et qu'il opposait en souvenir à Zerbine, lui parurent ternes, ennuyeuses et fades.

La pièce de M. de Scudéry qu'on répéta ensuite fit
300 plaisir quoique moins amusante, et Léandre, chargé du rôle de Lygdamon[2], y fut charmant ; mais puisque nous sommes sur le talent de nos comédiens, laissons-les à leurs affaires et suivons le duc de Vallombreuse et son ami Vidalinc.

Outré de fureur après cette scène où il n'avait pas eu
305 l'avantage, le jeune duc était rentré à l'hôtel Vallombreuse avec son confident, méditant mille projets de vengeance ; les plus doux ne tendaient à rien moins qu'à faire bâtonner l'insolent capitaine jusques à le laisser pour mort sur la place.

notes

1. vergogne : retenue, pudeur.

2. Lygdamon : personnage de *Lygdamon et Lydias*, une tragicomédie de Georges de Scudéry.

Vidalinc cherchait en vain à le calmer ; le duc se tordait
310 les mains de rage et courait par la chambre comme un
forcené, donnant des coups de poing aux fauteuils qui tom-
baient comiquement les quatre fers en l'air, renversant les
tables et faisant, pour passer sa fureur, toutes sortes de dégâts ;
puis il saisit un vase du Japon et le lança contre le parquet,
315 où il se brisa en mille morceaux.

« Oh ! s'écriait-il, je voudrais pouvoir casser ce drôle
comme ce vase et le piétiner et en balayer les restes aux
ordures ! Un misérable qui ose s'interposer entre moi et
l'objet de mon désir ! S'il était seulement gentilhomme, je le
320 combattrais à l'épée, à la dague[1], au pistolet, à pied, à cheval,
jusqu'à ce que j'aie posé le pied sur sa poitrine et craché à la
face de son cadavre !

— Peut-être l'est-il, fit Vidalinc, je le croirais assez à son
assurance ; maître Bilot a parlé d'un comédien qui s'était
325 engagé par amour et qu'Isabelle regardait d'un œil favorable.
Ce doit être celui-là, si j'en juge à sa jalousie et au trouble
de l'infante.

— Y penses-tu, reprit Vallombreuse, une personne de
condition se mêler à ces baladins, monter sur les tréteaux, se
330 barbouiller de rouge, recevoir des nasardes[2] et des coups de
pied au derrière ! Non, cela est par trop impossible. »

[…]

---

notes

1. dague : couteau à lame
large et courte.

2. nasardes : chiquenaudes
(petits coups) données
sur le nez.

Chapitre IX

Coups d'épée, coups de bâton... et autres aventures

La répétition était finie. Retirés dans leurs loges, les comédiens se déshabillaient et prenaient leurs habits de ville. Sigognac en fit autant, mais il garda, s'attendant à quelque assaut, son épée de Matamore. C'était une bonne vieille lame espagnole, longue comme un jour sans pain, avec une coquille de fer ouvragé qui enveloppait bien le poignet, et qui, maniée par un homme de cœur, pouvait parer des coups et en porter de solides, sinon de mortels car elle était épointée et mousse[1] selon l'usage des gens de théâtre, mais cela suffisait bien pour la valetaille[2] que le duc avait chargée de sa vengeance.

Hérode, robuste compagnon aux larges épaules, avait emporté le bâton qui lui servait à frapper les levers de

notes

1. mousse : émoussée, non tranchante.

2. valetaille : ensemble des valets (terme péjoratif).

rideau, et avec cette espèce de massue, qu'il manœuvrait comme si c'eût été un fétu[1] de paille, il se promettait de faire rage contre les marauds qui attaqueraient Sigognac, cela n'étant pas dans son caractère de laisser ses amis en péril.

20 « Capitaine, dit-il au baron, lorsqu'ils se trouvèrent dans la rue, laissons filer les femelles, dont les piaillements nous assourdiraient, sous la conduite de Léandre et de Blazius : l'un n'est qu'un fat[2] poltron comme la lune ; l'autre est par trop vieil, et la force trahirait son courage ; Scapin restera 25 avec nous, il passe le croc-en-jambe mieux que pas un, et en moins d'une minute il vous aura étendu sur le dos, plats comme porcs, un ou deux de ces maroufles, si tant est qu'ils nous assaillent ; en tout cas, mon bâton est au service de votre rapière.

30 — Merci, brave Hérode, répondit Sigognac, l'offre n'est pas de refus ; mais prenons bien nos dispositions, de peur d'être attaqués à l'improviste. Marchons les uns derrière les autres à un certain intervalle, juste au milieu de la rue, il faudra que ces coquins apostés[3], qui s'appliquent à la muraille dans l'ombre, s'en détachent pour arriver jusqu'à nous, et 35 nous aurons le temps de les voir venir. Çà, dégainons l'épée ; vous, brandissez votre massue, et que Scapin fasse un plié de jarret[4] pour se rendre la jambe souple. »

Sigognac prit la tête de la petite colonne, et s'avança 40 prudemment dans la ruelle qui menait du jeu de paume à l'auberge des *Armes de France*. Elle était noire, tortueuse, inégale en pavés, merveilleusement propre aux embuscades. Des auvents s'y projetaient redoublant l'épaisseur de l'ombre,

et prêtant leur abri aux guets-apens. Aucune lumière ne filtrait
45   des maisons endormies, et il n'y avait pas de lune cette nuit-là.

Basque, Azolan, Labriche et Mérindol, les estafiers[1] du
jeune duc, attendaient déjà depuis plus d'une demi-heure le
passage du capitaine Fracasse, qui ne pouvait rentrer à son
auberge par un autre chemin. Azolan et Basque s'étaient
50   tapis dans l'embrasure d'une porte, d'un côté de la rue ;
Mérindol et Labriche, effacés contre la muraille, avaient pris
position juste en face, de manière à faire converger leurs
bâtons sur Sigognac, comme les marteaux des cyclopes sur
l'enclume[2]. Le groupe des femmes conduit par Blazius et
55   Léandre les avait avertis que Fracasse ne pouvait tarder, et ils
se tenaient piétés, les doigts repliés sur le gourdin, prêts à
s'acquitter de leur besogne, sans se douter qu'ils allaient avoir
affaire à forte partie, car d'habitude les poètes, histrions et
bourgeois que les grands daignent faire bâtonner, prennent
60   la chose en douceur et se contentent de courber le dos.

Sigognac, dont la vue était perçante, bien que la nuit fût
fort noire, avait depuis quelques instants déjà découvert les
quatre escogriffes[3] à l'affût. Il s'arrêta, et fit mine de vouloir
rebrousser chemin. Cette feinte détermina les coupe-jarrets,
65   qui voyaient leur proie s'échapper, à quitter leur embuscade
pour courir sus au capitaine. Azolan s'élança le premier, et
tous crièrent : « Tue ! tue ! Au capitaine Fracasse de la part
de monseigneur le duc ! » Sigognac avait enveloppé à plusieurs tours son bras gauche de son manteau, qui formait,
70   ainsi roulé, une sorte de manchon impénétrable ; de ce

notes

1. **estafiers :** valets armés, spadassins.

2. **enclume :** masse métallique sur laquelle on pose l'objet destiné à être frappé par le forgeron.

3. **escogriffes :** hommes de grande taille.

manchon, il para le coup de gourdin que lui assenait Azolan, et lui porta de sa rapière une botte si violente en pleine poitrine, que le misérable tomba au beau milieu du ruisseau le bréchet effondré, les semelles en l'air et le chapeau dans la

75 boue. Si la pointe n'eût été mornée[1], le fer lui eût traversé le corps et fût sorti entre les deux épaules. Basque, malgré le mauvais succès de son compagnon, s'avança bravement, mais un furieux coup de plat d'épée sur la tête lui fracassa le moule du bonnet, et lui montra trente-six chandelles en

80 cette nuit plus opaque que poix[2]. La massue d'Hérode fit voler en éclats le bâton de Mérindol, qui, se voyant désarmé, prit la fuite, non sans avoir le dos froissé et meurtri par le formidable bois, si prompt qu'il fût à tirer ses guêtres[3]. L'exploit de Scapin fut tel : il saisit Labriche à bras-le-corps d'un

85 mouvement si prompt et si vif, que celui-ci, à demi étouffé, ne put faire aucun usage de son gourdin, puis, l'appuyant sur son bras gauche et le poussant de son bras droit de manière à lui faire craquer les vertèbres, il l'enleva de terre par un croc-en-jambe sec, nerveux, irrésistible comme la détente

90 d'un ressort d'arbalète, et l'envoya rouler sur le pavé dix pas plus loin. La nuque de Labriche porta contre une pierre, et le choc fut si rude, que l'exécuteur des vengeances de Vallombreuse resta évanoui sur le champ de bataille, avec toutes les apparences d'un cadavre.

95 Désormais la rue était libre, et la victoire demeurait aux comédiens. Azolan et Basque, rampant sur leurs poignets, tachaient de gagner quelque auvent pour reprendre leurs esprits. Labriche gisait comme un ivrogne en travers du

---

notes

1. mornée : garnie d'une morne, anneau placé à la pointe de l'épée.

2. poix : mélange collant à base de résine, destiné à assurer l'étanchéité.

3. tirer ses guêtres : s'en aller.

ruisseau. Mérindol, moins fièrement navré[1] avait pris la
poudre d'escampette[2] sans doute pour que quelqu'un sur-
vécût au désastre, et le pût raconter. Cependant, en approchant de l'hôtel Vallombreuse il ralentit le pas, car il allait
se trouver en face de la colère du jeune duc, non moins
redoutable que le gourdin d'Hérode. À cette idée la sueur lui
coulait du front, et il ne sentait plus la douleur de son épaule
luxée, après laquelle pendait un bras inerte et flasque comme
une manche vide.

À peine était-il rentré à l'hôtel que le duc, impatient de
savoir le succès de l'algarade[3] le fit appeler. Mérindol parut
avec une contenance embarrassée et gauche, car il souffrait
beaucoup de son bras. Sous le hâle de son teint se glissaient
des pâleurs verdâtres, et une fine sueur lui perlait sur le front.
Immobile et silencieux, il se tenait au seuil de la chambre,
attendant un mot d'encouragement ou une question de la
part du duc qui se taisait.

« Eh bien, dit le chevalier de Vidalinc en voyant que
Vallombreuse regardait Mérindol d'un air farouche, quelles
nouvelles apportez-vous ? Mauvaises, sans doute, car vous
n'avez pas la mine fort triomphante.

– Monsieur le duc, répondit Mérindol, ne peut douter de
notre zèle à exécuter ses ordres ; mais cette fois la fortune a
mal servi notre valeur.

– Comment cela ? fit le duc avec un mouvement de
colère ; à vous quatre vous n'avez pas réussi à bâtonner cet
histrion ?

– Cet histrion, répondit Mérindol, passe en vigueur et en
courage les Hercules fabuleux. Il s'est rué si furieusement

notes
_____

1. fièrement navré :
grièvement blessé.

**2. avait pris la poudre
d'escampette :** s'était enfui.

3. algarade : querelle.

contre nous que, d'assailli devenu assaillant, il a couché en moins de rien Azolan et Basque sur le carreau. Sous ses coups ils sont tombés comme capucins de cartes[1] et pourtant ce sont de rudes compagnons. Labriche a été mis bas par un autre baladin au moyen d'un tour subtil de gymnastique, et sa nuque maintenant sait combien est dur le pavé de Poitiers. Moi-même j'ai eu mon bâton cassé sous la massue du sieur Hérode, et l'épaule froissée de façon à ne pas me servir de mon bras d'ici quinze jours.

– Vous n'êtes que des veaux, des gavaches[2] et des ruffians[3] sans adresse, sans dévouement et sans courage ! s'écria le duc de Vallombreuse outré de fureur. Une vieille femme vous mettrait en fuite avec sa quenouille. J'ai eu bien tort de vous sauver de la potence et des galères ! autant vaudrait avoir d'honnêtes gens à son service : ils ne seraient ni plus gauches ni plus lâches ! Puisque les bâtons ne suffisaient pas, il fallait prendre les épées !

– Monseigneur, reprit Mérindol, avait commandé une bastonnade et non un assassinat. Nous n'aurions osé prendre sur nous d'outrepasser ses ordres.

– Voilà, dit en riant Vidalinc, un coquin formaliste[4], ponctuel et consciencieux. J'aime cette candeur dans le guet-apens ; qu'en dites-vous ? Cette petite aventure s'emmanche[5] d'une façon assez romanesque et qui doit vous plaire, Vallombreuse, puisque les facilités vous rebutent et que les obstacles vous charment. Pour une comédienne, l'Isabelle me paraît de laborieuse approche ; elle habite une tour sans pont-levis et gardée, comme dans les histoires de chevalerie,

---

notes

1. capucins de cartes : cartes pliées de façon à rester debout comme des capucins.

2. gavaches : hommes misérables et lâches.

3. ruffians : aventuriers, individus sans scrupules.

4. formaliste : respectueux des formes, scrupuleux.

5. s'emmanche : commence.

par des dragons soufflant feu et flamme. Mais voici notre
armée en déroute qui revient. »

[Le baron de Sigognac demande au marquis de Bruyères de
défier en son nom le duc de Vallombreuse. Le marquis accepte
et s'acquitte de sa mission.]

« Monsieur le marquis de Bruyères, fit Picard en ouvrant
la porte à deux battants.

160 — Bonjour, marquis, dit le jeune duc de Vallombreuse en
se soulevant à demi de son fauteuil, et soyez le bienvenu,
quel que soit le sujet qui vous amène. Picard, avancez un
siège à monsieur. Excusez-moi si je vous reçois dans cette
chambre en désordre et sous ce déshabillé matinal ; n'y voyez
165 pas un manque de civilité[1] mais une marque d'empressement.

— Pardonnez, répliqua le marquis, l'insistance sauvage que
j'ai mise à troubler votre sommeil, occupé peut-être de
quelque rêve délicieux, mais je suis chargé près de vous
d'une mission qui ne souffre pas de retard entre gentils-
170 hommes.

— Vous me piquez la curiosité au vif, répondit
Vallombreuse ; je ne devine point quelle peut être cette
affaire urgente.

— Sans doute, monsieur le duc, dit le marquis de Bruyères,
175 vous avez oublié certaines circonstances de la soirée d'hier.
De si minces détails ne sont point faits pour se graver en
votre souvenir. Aussi vais-je aider votre mémoire, si vous le
permettez. Au foyer des comédiennes, vous avez daigné
honorer d'une attention particulière une jeune personne qui
180 joue les ingénues : Isabelle, je crois. Et par une badinerie[2]

notes

1. civilité : politesse.   **2. badinerie :** plaisanterie.

que, pour ma part, je ne trouve pas blâmable, vous lui voulûtes poser une assassine sur le sein. Ce procédé, que je ne qualifie pas, choqua fort un comédien, le capitaine Fracasse, qui eut la hardiesse de vous arrêter la main.

185 — Marquis, vous êtes le plus fidèle et le plus consciencieux des historiographes[1] interrompit Vallombreuse. Tout cela est vrai de point en point, et, pour finir l'anecdote, je promis à ce drôle, insolent comme un noble, une volée de bois vert, châtiment approprié à un maroufle de sa sorte.

190 — Il n'y a pas grand mal à faire bâtonner un histrion ou un grimaud[2] de lettres dont on n'est pas content, dit le marquis d'un air de parfaite insouciance ; ces espèces ne valent pas les cannes qu'on leur rompt sur le dos ; mais ici le cas est différent. Sous le capitaine Fracasse, qui, du reste, a rossé vos 195 estafiers de la belle manière, il y a le baron de Sigognac, un gentilhomme de vieille roche et de la meilleure noblesse qui soit en Gascogne. Personne n'a rien à dire sur son compte.

— Que diable allait-il faire parmi cette troupe de baladins ? répondit le jeune duc de Vallombreuse en jouant avec les 200 cordons de sa robe de chambre ; pouvais-je soupçonner un Sigognac sous cet accoutrement grotesque et derrière ce faux nez barbouillé de carmin[3] ?

— Quant à votre première question, dit le marquis, j'y répondrai par un mot. Entre nous, je crois le baron fort 205 épris[4] de l'Isabelle ; ne la pouvant retenir au château, il s'est engagé dans la troupe pour suivre ses amours. Ce n'est pas vous qui trouverez ce pourchas[5] galant de mauvais goût, puisque la dame de ses pensées excite votre fantaisie.

notes

1. historiographes : historiens officiellement chargés d'écrire l'histoire de leur temps.

2. grimaud : mauvais écrivain.

3. carmin : rouge.

4. épris : amoureux.

5. ce pourchas : cette recherche.

La baron de Sigognac et le marquis de Bruyères.

– Non ; j'admets tout ceci. Mais vous conviendrez que je
ne pouvais deviner ce roman, et que l'action du capitaine
Fracasse fut impertinente.

– Impertinente venant d'un comédien, reprit M. de
Bruyères, naturelle venant d'un gentilhomme jaloux de sa
maîtresse. Aussi le capitaine Fracasse jette-t-il son masque et
vient-il, comme baron de Sigognac, vous proposer le cartel[1]
par mon entremise[2] et vous demander raison de l'insulte
que vous lui avez faite.

– Mais qui me dit, dit Vallombreuse, que ce prétendu
Sigognac, qui joue les Matamores dans une compagnie de
bouffons, ne soit pas un intrigant de bas étage usurpant un
nom honorable pour avoir l'honneur de faire toucher sa
batte d'histrion par mon épée ?

– Duc, répliqua le marquis de Bruyères d'un ton plein
de dignité, je ne servirais pas de témoin et de second à
quelqu'un qui ne serait point né. Je connais personnellement
le baron de Sigognac, dont le castel n'est qu'à quelques lieues
de mes terres. Je me porte son garant. D'ailleurs, si vous dou-
tez encore de sa qualité, j'ai là toutes les pièces qu'il faut pour
rassurer vos scrupules. Voulez-vous me permettre d'appeler
mon laquais qui attend dans l'antichambre et vous remettra
les parchemins ?

– Il n'en est nul besoin, répondit Vallombreuse ; votre
parole me suffit, j'accepte le duel ; M. le chevalier de Vidalinc, mon ami, sera mon second. Veuillez vous entendre avec
lui. Toutes armes et toutes conditions me sont bonnes.

1. cartel : blason figurant
sur chaque branche
d'un arbre généalogique
de la noblesse.

2. entremise :
intermédiaire.

Aussi bien ne serais-je pas fâché de voir si le baron de Sigognac sait aussi bien parer les coups d'épée que le capitaine Fracasse les coups de bâton. La charmante Isabelle couronnera le vainqueur du tournoi, comme aux beaux
240 temps de la chevalerie. Mais souffrez[1] que je me retire. M. de Vidalinc, qui occupe un appartement dans l'hôtel, va descendre, et vous vous entendrez avec lui du lieu, de l'arme et de l'heure. Sur ce, *beso a vuestra merced la mano, caballero*[2] ».

En disant ces mots, le duc de Vallombreuse salua avec une
245 courtoisie étudiée le marquis de Bruyères, souleva une lourde portière de tapisserie et disparut.

Quelques instants après, le chevalier de Vidalinc vint rejoindre le marquis ; les conditions furent bientôt réglées. On choisit l'épée, arme naturelle des gentilshommes, et la
250 rencontre fut fixée au lendemain, Sigognac ne voulant pas, s'il était blessé ou tué, faire manquer la représentation annoncée par toute la ville. Le rendez-vous fut pris à un certain endroit hors des murs, dans un pré fort apprécié des duellistes de Poitiers pour sa solitude, fermeté de terrain et
255 commodité naturelle.

Le marquis de Bruyères retourna à l'auberge des *Armes de France* et rendit compte de sa mission à Sigognac, qui le remercia chaleureusement d'avoir si bien arrangé les choses, car il avait sur le cœur les regards insolents et libertins du
260 jeune duc à l'endroit d'Isabelle.

---

notes

1. souffrez : acceptez.
2. beso a vuestra merced la mano, caballero : je baise la main de votre grâce, chevalier (en espagnol).

[Léandre est fort admiré et applaudi lors de la représentation de *Lygdamon et Lydias*, notamment par une femme masquée. À la fin du spectacle, un jeune page lui apporte un message lui annonçant qu'un carrosse viendra le chercher. Léandre se laisse conduire à ce rendez-vous galant.]

C'était sans doute derrière ce rideau qu'attendait la dame masquée, émue, elle aussi, car, en ces équipées amoureuses, les femmes risquent leur bonne réputation, et parfois leur vie, tout de même que les galants, pour peu que leurs maris
265 apprennent la chose et se trouvent d'humeur brutale. Mais en ce moment Léandre n'avait plus peur ; l'orgueil satisfait lui cachait le danger. Le carrosse, le page, le jardin, le pavillon, tout cela sentait la grande dame, et l'intrigue se nouait d'une façon qui n'avait rien de bourgeois. Il était aux
270 anges, et ses pieds ne touchaient pas la terre. Il aurait voulu que ce méchant raillard[1] de Scapin le vît en cette gloire et ce triomphe.

Le page poussa une grande porte vitrée et se retira, laissant Léandre seul dans le pavillon qui était meublé avec
275 beaucoup de goût et de magnificence. La voûte formée par le dôme représentait un ciel bleu turquin[2] léger, où flottaient de petits nuages roses et voletaient des Amours en diverses attitudes pleines de grâce. Une tapisserie historiée[3] de scènes empruntées à *L'Astrée*[4], roman de M. Honoré d'Urfé, revê-
280 tait moelleusement les parois des murailles. Des cabinets[5] incrustés en pierres dures de Florence, des fauteuils de velours

---

notes

1. raillard : qui aime tourner les autres en ridicule.

2. bleu turquin : bleu foncé.

3. historiée : ornée.

4. L'Astrée : roman pastoral précieux d'Honoré d'Urfé (1607-1628).

5. cabinets : meubles à compartiments destinés à recueillir des objets de valeur.

rouge à crépines[1], une table couverte d'un tapis de Turquie, des vases de la Chine pleins de fleurs, malgré la saison, montraient assez que la maîtresse du lieu était riche et de
285 haut lignage. Des bras de Nègre en marbre noir, jaillissant d'une manche dorée, formaient candélabres[2], et jetaient la clarté de leurs bougies sur ces magnificences. Ébloui de ces splendeurs, Léandre ne remarqua pas d'abord qu'il n'y avait personne dans ce salon ; il se débarrassa de son manteau,
290 qu'il posa avec son feutre sur un pliant, redonna, devant une glace de Venise un meilleur tour à une de ses boucles, dont l'économie était compromise, prit la pose la plus gracieuse de son répertoire et se dit en promenant ses yeux autour de lui :

295 « Eh mais ! où donc est la divinité de ces lieux ? je vois bien le temple, mais non l'idole. Quand va-t-elle sortir de son nuage et se révéler, vraie déesse par sa démarche, selon l'expression de Virgile[3] ? »

Léandre en était là de sa phraséologie[4] galante intérieure,
300 quand le pli d'une portière[5] en damas[6] des Indes incarnadin[7] se dérangea, ouvrant passage à la dame masquée admiratrice de Lygdamon. Elle avait encore son loup de velours noir, ce qui inquiéta notre comédien.

« Serait-elle laide, pensa-t-il, cet amour du masque
305 m'alarme. » Sa crainte dura peu, car la dame, s'avançant au milieu du salon où se tenait respectueusement Léandre, défit son touret de nez et le jeta sur la table, découvrant aux

---

notes

1. crépines : franges de passementerie (sorte de galon tissé).

2. candélabres : chandeliers à plusieurs branches.

3. Virgile : poète latin du Ier siècle av. J.-C., auteur notamment de l'*Énéide*.

4. phraséologie : assemblage de formules prétentieuses et vides de sens.

5. portière : tissu destiné à dissimuler une porte.

6. damas : tissu de couleur uniforme dont les motifs mats se détachent sur un fond satiné.

7. incarnadin : rose.

lueurs des bougies une figure assez régulière et agréable où brillaient deux beaux yeux couleur de tabac d'Espagne,
310 enflammés de passion et où souriait une bouche bien meublée[1], rouge comme une cerise et coupée d'une petite raie à la lèvre inférieure. Autour de ce visage frisaient d'opulentes grappes de cheveux bruns qui s'allongeaient jusque sur des épaules blanches et grasses et se hasardaient même à
315 baiser le contour de certains demi-globes dont le frémissement des dentelles qui les voilaient trahissait les palpitations.

« Madame la marquise de Bruyères ! s'écria Léandre surpris au dernier point et quelque peu inquiet, le souvenir de la bastonnade lui revenant, est-ce possible ? suis-je le jouet
320 d'un rêve ? oserai-je croire à ce bonheur inespéré ?

— Vous ne vous trompez pas, mon ami, dit la marquise, je suis bien Mme de Bruyères et j'espère que votre cœur me reconnaît comme le font vos yeux.

— Oh ! votre image est là gravée en traits de flamme,
325 répondit Léandre avec un ton pénétré, je n'ai qu'à regarder en moi pour l'y voir parée de toutes les grâces et de toutes les perfections.

— Je vous remercie, dit la marquise, d'avoir gardé ce bon souvenir de moi. Cela prouve une âme bien faite et géné-
330 reuse. Vous avez dû me croire cruelle, ingrate et fausse. Hélas ! mon faible cœur n'est que trop tendre, et j'étais loin d'être insensible à la passion que vous me marquiez. Votre lettre, remise à une suivante[2] infidèle, est tombée aux mains du marquis. Il y fit la réponse que vous reçûtes et qui vous
335 abusa[3]. Plus tard M. de Bruyères, riant de ce qu'il appelait un bon tour, me fit lire cette missive où éclatait l'amour le plus

---

notes

1. **bien meublée :** avec de belles dents.

2. **suivante :** servante.

3. **abusa :** trompa.

vif et le plus pur, comme une pièce[1] d'un parfait ridicule.
Mais il ne produisit pas l'effet qu'il attendait. Le sentiment
que j'avais pour vous ne fit que s'accroître, et je résolus de
340 vous récompenser des peines que vous aviez endurées pour
moi. Sachant mon mari occupé à sa nouvelle conquête, je
suis venue à Poitiers ; cachée sous ce masque, je vous enten-
dis exprimer si bien l'amour fictif que je voulus voir si vous
seriez aussi éloquent en parlant pour vous-même.

345   — Madame, dit Léandre en s'agenouillant sur un carreau
aux pieds de la marquise, qui s'était laissée tomber entre les
bras d'un fauteuil, comme épuisée par l'effort que l'aveu
qu'elle venait de faire avait coûté à sa pudeur, madame, ou
plutôt reine et déité, que peuvent être des paroles fardées, des
350 flammes contrefaites, des concetti[2] imaginés à froid par des
poètes qui se rongent les ongles, de vains soupirs poussés aux
genoux d'une comédienne barbouillée de rouge et dont les
yeux distraits errent parmi le public, à côté de mots jaillis de
l'âme, de feux qui brûlent les moelles, des hyperboles d'une
355 passion à laquelle tout l'univers ne saurait fournir d'assez
brillantes images pour parer son idole, et des élans d'un cœur
qui voudrait s'élancer de la poitrine où il est contenu pour
servir de coussin aux pieds de l'objet adoré ? Vous daignez
trouver, céleste marquise, que j'exprime avec chaleur
360 l'amour dans les pièces de théâtre, c'est que je n'ai jamais
regardé une actrice, et que mon idée va toujours au-delà,
vers un idéal parfait, quelque dame belle, noble, spirituelle
comme vous, et c'est elle seule que j'aime sous les noms de
Sylvie, de Doralice et d'Isabelle, qui lui servent de fantômes. »

notes
1. pièce : œuvre.
2. concetti : traits d'esprit
trop recherchés.

365 En disant cela, Léandre, trop bon acteur pour oublier que la pantomime[1] doit accompagner le débit[2], se penchait sur une main que la marquise lui abandonnait et la couvrait de baisers ardents. La marquise laissait errer ses doigts blancs, longs et chargés de bagues dans la chevelure soyeuse et
370 parfumée du comédien, et regardait sans les voir, à demi renversée dans son fauteuil, les petits Amours ailés au plafond bleu turquin.

Tout à coup la marquise repoussa Léandre et se leva en chancelant.

375 « Oh ! finissez[3], dit-elle d'une voix brève et haletante, finissez, Léandre, vos baisers me brûlent et me rendent folle ! »

Et, s'appuyant de la main à la muraille, elle gagna la porte par où elle était entrée et souleva la portière, dont le pli retomba sur elle et sur Léandre qui s'était approché pour la
380 soutenir.

Une aurore d'hiver soufflait dans ses doigts rouges, quand Léandre, bien enveloppé de sa cape et dormant à demi dans le coin du carrosse, fut ramené à la porte de Poitiers. Ayant soulevé le coin du mantelet[4] pour reconnaître sa route, il
385 aperçut de loin le marquis de Bruyères qui marchait à côté de Sigognac et se dirigeait vers l'endroit fixé pour le duel. Léandre rabattit le rideau de cuir pour n'être pas vu par le marquis que le carrosse effleura presque. Un sourire de vengeance satisfaite erra sur ses lèvres. Les coups de bâton
390 étaient payés !

L'endroit choisi était abrité du vent par une longue muraille qui avait aussi l'avantage de cacher les combattants aux voyageurs passant sur la route. Le terrain était ferme,

---

notes

1. *pantomime :* mime, gestuel.
2. *débit :* discours.
3. *finissez :* cessez.
4. *mantelet :* ici, rideau de cuir.

bien battu, sans pierres, ni mottes, ni touffes d'herbe qui pus-
395 sent embarrasser les pieds, et offrait toutes les facilités pour
se couper correctement la gorge entre gens d'honneur.

Le duc de Vallombreuse et le chevalier de Vidalinc, suivis
d'un barbier-chirurgien[1], ne tardèrent pas à arriver. Les quatre
gentilshommes se saluèrent avec une courtoisie hautaine et
400 une politesse froide, comme il sied à des gens bien élevés qui
vont se battre à mort. Une complète insouciance se lisait sur
la figure du jeune duc, parfaitement brave, et d'ailleurs sûr de
son adresse. Sigognac ne faisait pas moins bonne contenance,
quoique ce fût son premier duel. Le marquis de Bruyères fut
405 très satisfait de ce sang-froid et en augura bien.

Vallombreuse jeta son manteau et son feutre, et défit son
pourpoint, manœuvres qui furent imitées de point en point
par Sigognac. Le marquis et le chevalier mesurèrent les épées
des combattants. Elles étaient de longueur égale.

410 Chacun se mit sur son terrain, prit son épée et tomba en
garde.

« Allez, messieurs, et faites en gens de cœur[2], dit le marquis.

– La recommandation est inutile, fit le chevalier de
Vidalinc ; ils vont se battre comme des lions. Ce sera un duel
415 superbe. »

Vallombreuse, qui, au fond, ne pouvait s'empêcher de
mépriser un peu Sigognac et s'imaginait de ne rencontrer
qu'un faible adversaire, fut surpris, lorsqu'il eut négligemment tâté le fer du baron, de trouver une lame souple et
420 ferme qui déjouait la sienne avec une admirable aisance.
Il devint plus attentif, puis essaya quelques feintes aussitôt

---

notes

1. barbier-chirurgien :
personnage exerçant
la double profession de
coiffeur et de chirurgien.

2. gens de cœur : personnes
courageuses.

devinées. Au moindre jour qu'il laissait, la pointe de Sigognac s'avançait, nécessitant une prompte parade. Il risqua une attaque ; son épée, écartée par une riposte savante, le laissa

425 découvert et, s'il ne se fût brusquement penché en arrière, il eût été atteint en pleine poitrine. Pour le duc, la face du combat changeait. Il avait cru pouvoir le diriger à son gré, et après quelques passes, blesser Sigognac où il voudrait au moyen d'une botte qui jusque-là lui avait toujours réussi.

430 Non seulement il n'était plus maître d'attaquer à son gré[1], mais il avait besoin de toute son habileté pour se défendre. Quoi qu'il fît pour rester de sang-froid, la colère le gagnait ; il se sentait devenir nerveux et fébrile, tandis que Sigognac, impassible, semblait, par sa garde irréprochable, prendre

435 plaisir à l'irriter.

« Ne ferons-nous rien pendant que nos amis s'escriment, dit le chevalier de Vidalinc au marquis de Bruyères ; il fait bien froid ce matin, battons-nous un peu, ne fût-ce que pour nous réchauffer.

440 – Bien volontiers, dit le marquis, cela nous dégourdira. »

Vidalinc était supérieur au marquis de Bruyères en science d'escrime, et au bout de quelques bottes, il lui fit sauter l'épée de la main par un lié[2] sec et rapide. Comme aucune rancune n'existait entre eux, ils s'arrêtèrent de

445 commun accord, et leur attention se reporta sur Sigognac et Vallombreuse.

Le duc, pressé par le jeu serré du baron, avait déjà rompu de plusieurs semelles. Il se fatiguait, et sa respiration devenait haletante. De temps en temps des fers froissés rapidement

450 jaillissait une étincelle bleuâtre, mais la riposte faiblissait

notes

1. **à son gré :** à sa guise, selon sa volonté.

2. **lié :** sorte de coup d'épée qui consiste à frapper la lame de l'adversaire.

Le duel.

devant l'attaque et cédait. Sigognac qui, après avoir lassé son adversaire, portait des bottes et se fendait[1], faisait toujours reculer le duc.

455 Le chevalier de Vidalinc était fort pâle et commençait à craindre pour son ami. Il était évident, aux yeux de connaisseurs en escrime, que tout l'avantage appartenait à Sigognac.

« Pourquoi diable, murmura Vidalinc, Vallombreuse n'essaie-t-il pas la botte que lui a enseignée Girolamo de Naples et que ce Gascon ne doit pas connaître ? »

460 Comme s'il lisait dans la pensée de son ami, le jeune duc tâcha d'exécuter la fameuse botte, mais au moment où il allait la détacher par un coup fouetté, Sigognac le prévint et lui porta un coup droit si bien à fond qu'il traversa l'avant-bras de part en part. La douleur de cette blessure fit ouvrir
465 les doigts au duc, dont l'épée roula sur terre.

Sigognac, avec une courtoisie parfaite, s'arrêta aussitôt, quoiqu'il pût doubler le coup sans manquer aux conventions du duel, qui ne devait pas s'arrêter au premier sang. Il appuya la pointe de sa lame en terre, mit la main gauche sur
470 la hanche et parut attendre les volontés de son adversaire. Mais Vallombreuse, à qui, sur un geste d'acquiescement[2] de Sigognac, Vidalinc remit l'épée en main, ne put la tenir et fit signe qu'il en avait assez.

Sur quoi Sigognac et le marquis de Bruyères saluèrent
475 le plus poliment du monde le duc de Vallombreuse et le chevalier de Vidalinc, et reprirent le chemin de la ville.

notes

1. se fendait : portait une jambe en avant pour attaquer.

2. acquiescement : accord, approbation.

Au fil du texte

AVEZ-VOUS BIEN LU ?

1. Indiquez si les propositions suivantes sont vraies ou fausses.

	V	F
a) Maître Bilot est un aubergiste.	☐	☐
b) Vallombreuse loue un appartement dans un hôtel.	☐	☐
c) Les comédiens logent dans une auberge appelée aux *Armes de France*.	☐	☐
d) Vallombreuse veut connaître le nom de la jeune fille qu'il a aperçue à sa fenêtre.	☐	☐
e) Vallombreuse vient voir Isabelle avant la représentation de *L'Illusion comique* de Corneille.	☐	☐
f) Sigognac empêche le duc de chasser une mouche posée sur la gorge d'Isabelle.	☐	☐
g) Le marquis de Bruyères dit à Zerbine qu'il ne la reverra jamais.	☐	☐

enchâssement : emboîtement.

champ lexical : ensemble des termes qui se rapportent à une même notion.

ÉTUDIER LE VOCABULAIRE ET LA GRAMMAIRE (L. 416 À 435, PP. 103 À 105)

2. Délimitez les différentes propositions dans la première phrase. Quel est l'effet produit par cet enchâssement* de propositions ?

3. Relevez une phrase comprenant deux propositions indépendantes coordonnées.

4. Quelle phrase se réduit à une proposition indépendante ? Quel est son rôle dans le récit ?

5. Relevez le champ lexical* du duel.

6. Quel est le temps dominant dans le paragraphe ? Quelle est sa valeur ?

ÉTUDIER LA RENCONTRE
(L. 95 À 207, PP. 78 À 82)

Vous devrez justifier vos réponses en citant des expressions significatives du texte.

7. Quelles impressions se dégagent du portrait du duc au début du passage (l. 95 à 121) ?

8. Quelle est l'attitude de Vallombreuse envers Isabelle ?

9. Comment Isabelle réagit-elle à la présence du duc ?

10. Comment Vallombreuse considère-t-il Sigognac ?

ÉTUDIER L'ENCHAÎNEMENT DE DEUX SCÈNES DE REGISTRE DIFFÉRENT
(L. 261 À 476, PP. 98 À 106)

11. Délimitez précisément les deux scènes en donnant un titre à chacune d'elles.

12. Quels sont les personnages présents ?

13. En quoi les deux scènes s'opposent-elles ? Quel est l'effet produit ?

LIRE L'IMAGE

14. À quels signes voit-on que les deux personnages de l'image page 95 appartiennent à l'aristocratie ?

À VOS PLUMES !

15. Après avoir relu la lettre écrite par Léandre (pp. 49-50), imaginez la lettre que le comédien pourrait écrire à la marquise à la suite de leur rencontre.

16. Le marquis de Bruyères raconte à Isabelle le duel qui a opposé Sigognac à Vallombreuse.

Chapitre X

Une tête dans une lucarne

[Tandis que le duc de Vallombreuse affirme à son ami le chevalier de Vidalinc son intention de ne pas renoncer à Isabelle, le baron de Sigognac entre dans la chambre de la jeune fille et lui déclare son amour.]

« […] Je n'ai que mon nom ; il est pur et sans tache comme vous. Je vous l'offre si vous daignez l'accepter. »

Sigognac était toujours à genoux devant Isabelle : à ces mots la jeune fille se baissa vers lui et, lui prenant
5 la tête avec un mouvement de passion délirant, elle imprima sur les lèvres du baron un baiser rapide ; puis, se levant, elle fit quelques pas dans la chambre.

« Vous serez ma femme, dit Sigognac, enivré au contact de cette bouche fraîche comme une fleur,
10 ardente comme une flamme.

— Jamais, jamais, répondit Isabelle avec une exaltation[1] extraordinaire ; je me montrerai digne d'un tel honneur en le refusant. Oh, mon ami, en quel ravissement céleste nage mon âme ! Vous m'estimez donc ? vous oseriez donc me conduire la tête haute dans ces salles où sont les portraits de vos aïeux, dans cette chapelle où est le tombeau de votre mère ? Je supporterais sans crainte le regard des morts qui savent tout, et la couronne virginale ne mentirait pas sur mon front !

— Eh quoi ! s'écria le baron, vous dites que vous m'aimez et vous ne voulez m'accepter ni comme amant, ni comme mari ?

— Vous m'avez offert votre nom, cela me suffit. Je vous le rends après l'avoir gardé une minute dans mon cœur. Un instant j'ai été votre femme et je ne serai jamais à un autre. Tout le temps que je vous embrassais, j'ai dit oui en moi-même. Je n'avais pas droit à tant de bonheur sur terre. Pour vous, ami cher, ce serait une grande faute d'embarrasser votre fortune d'une pauvre comédienne comme moi, à qui l'on reprocherait toujours sa vie de théâtre, quoique honorable et pure. Les mines froides et compassées dont les grandes dames m'accueilleraient vous feraient souffrir, et vous ne pourriez provoquer ces méchantes en duel. Vous êtes le dernier d'une noble race, et vous avez pour devoir de relever votre maison[2], abattue par le sort adverse. Lorsque d'un coup d'œil tendre je vous ai décidé à quitter votre manoir, vous songiez à quelque amourette et galanterie : c'était bien naturel ; moi, devançant l'avenir, je pensais à tout autre chose. Je vous voyais revenant de la cour, en habit

notes

1. exaltation : élévation des sentiments. **2. maison :** famille noble.

110

40 magnifique, avec quelque bel emploi. Sigognac reprenait son ancien lustre[1] ; en idée j'arrachais le lierre des murailles, je recoiffais d'ardoise les vieilles tours, je relevais les pierres tombées, je remettais les vitres aux fenêtres, je redorais les cigognes effacées de votre blason, et, vous ayant mené
45 jusqu'aux limites de vos domaines, je disparaissais en étouffant un soupir.

– Votre rêve s'accomplira, noble Isabelle, mais non pas tel que vous le dites, le dénouement en serait trop triste. C'est vous qui la première, votre main dans ma main, franchirez ce
50 seuil d'où les ronces de l'abandon et de la mauvaise fortune auront disparu.

– Non, non, ce sera quelque belle, noble et riche héritière, digne de vous en tous points, que vous pourrez montrer avec orgueil à vos amis, et dont nul ne dira avec un
55 mauvais sourire : "Je l'ai sifflée ou applaudie à tel endroit."

– C'est une cruauté de se montrer si adorable et si parfaite en vous désespérant, dit Sigognac ; ouvrir le ciel et le fermer, rien de plus barbare. Mais je fléchirai cette résolution.

60 – Ne l'essayez pas, reprit Isabelle avec une fermeté douce, elle est immuable[2]. Je me mépriserais en y renonçant. Contentez-vous donc d'un amour le plus pur, le plus vrai, le plus dévoué qui ait jamais fait battre le cœur d'une femme, mais ne prétendez pas autre chose. Cela est donc bien
65 pénible, ajouta-t-elle en souriant, d'être adoré d'une ingénue que plusieurs ont le mauvais goût de trouver charmante ? Vallombreuse lui-même en serait fier ! »

---

notes

1. lustre : éclat.   **2. immuable :** qui ne peut être modifié.

[Lors d'une représentation, le baron reconnaît Yolande de Foix, la très belle aristocrate qui le méprisait. Le marquis de Bruyères pense avoir reconnu sa femme dans une personne masquée qui a disparu à l'entracte.

Dans sa chambre, Isabelle, après avoir refusé un coffret de bijoux offert par le duc de Vallombreuse, se sent surveillée.]

Une petite fille de huit à dix ans, se cramponnant de la main au rebord de l'ouverture…

Dans le haut d'une des murailles, était pratiqué un œil-de-bœuf[1] destiné sans doute à donner du jour à quelque cabinet[2] obscur. Cet œil-de-bœuf s'arrondissait sur la paroi grisâtre, aux faibles reflets de la lumière, comme l'énorme prunelle noire d'un œil cyclopéen, et semblait espionner les actions de la jeune femme. Isabelle ne pouvait s'empêcher de regarder fixement ce trou profond et sombre, grillé, au reste, de deux barreaux de fer en croix. Il n'y avait donc rien à craindre de ce côté ; pourtant, à un certain moment, Isabelle crut voir au fond de cette ombre briller deux yeux humains.

Bientôt une tête basanée, à longs cheveux noirs ébouriffés, s'engagea dans un des étroits compartiments dessinés par l'intersection des barreaux ; un bras maigre suivit, puis les épaules passèrent, se froissant au rude contact du fer, et une petite fille de huit à dix ans, se cramponnant de la main au rebord de l'ouverture, allongea tant qu'elle put son corps chétif[3] le long de la muraille et se laissa tomber sur le plancher sans faire plus de bruit qu'une plume ou qu'un flocon de neige qui descendent à terre.

À l'immobilité d'Isabelle, pétrifiée et médusée de terreur, l'enfant l'avait crue endormie, et quand elle s'approcha du lit, pour s'assurer si ce sommeil était profond, une surprise extrême se peignit sur son visage couleur de bistre[4].

« La dame au collier ! dit-elle en touchant les perles qui bruissaient à son col maigre et brun, la dame au collier ! »

De son côté, Isabelle, à demi morte de peur, avait reconnu la petite fille rencontrée à l'auberge du *Soleil bleu* et sur la route de Bruyères en compagnie d'Agostin. Elle essaya

---

notes

1. œil-de-bœuf : lucarne ronde.

2. cabinet : petite pièce.

3. chétif : faible, en mauvaise santé.

4. bistre : brun foncé.

d'appeler au secours, mais l'enfant lui mit la main sur la bouche.

« Ne crie pas, tu ne cours aucun danger ; Chiquita a dit qu'elle ne couperait jamais le col à la dame qui lui a donné les perles qu'elle avait envie de voler.

— Mais que viens-tu faire ici, malheureuse enfant ? fit Isabelle reprenant quelque sang-froid à la vue de cet être faible et débile[1] qui ne pouvait être bien redoutable, et d'ailleurs manifestait certaine reconnaissance sauvage et bizarre à son endroit.

— Ouvrir le verrou que tu pousses tous les soirs, reprit Chiquita du ton le plus tranquille et comme n'ayant aucun doute sur la légitimité[2] de son action ; on m'a choisie pour cela parce que je suis agile et mince comme une couleuvre. Il n'y a guère de trous par où je ne puisse passer.

— Et pourquoi voulait-on te faire ouvrir le verrou ? Pour me voler ?

— Oh ! non, répondit Chiquita d'un air dédaigneux[3] ; c'était pour que les hommes pussent entrer dans la chambre et t'emporter.

— Mon Dieu, je suis perdue, s'écria Isabelle en gémissant et en joignant les mains.

— Non pas, dit Chiquita, puisque je laisserai le verrou fermé. Ils n'oseraient forcer la porte, cela ferait du bruit, on viendrait et on les prendrait ; pas si bêtes !

— Mais j'aurais crié, je me serais accrochée aux murs, on m'aurait entendue !

— Un bâillon étouffe les cris, dit Chiquita avec l'orgueil d'un artiste qui explique à un ignorant un secret du métier, une couverture roulée autour du corps empêche les

---

notes

1. débile : qui manque de vigueur, de force.

2. légitimité : bien-fondé, justesse.

3. dédaigneux : méprisant.

mouvements. C'est très facile. Le valet d'écurie était gagné et il devait ouvrir la porte de derrière.

– Qui a tramé cette machination odieuse ? dit la pauvre comédienne, tout effarée du péril qu'elle avait couru.

130 – C'est le seigneur qui a donné de l'argent, oh ! beaucoup d'argent ! comme ça, plein les mains ! répondit Chiquita dont les yeux brillèrent d'un éclat cupide[1] et farouche ; mais c'est égal, tu m'as fait cadeau des perles ; je dirai aux autres que tu ne dormais pas, qu'il y avait un 135 homme dans ta chambre et que c'est un coup manqué. Ils s'en iront. Laisse-moi te regarder ; tu es belle et je t'aime, oui, beaucoup, presque autant qu'Agostin. Tiens ! fit-elle en avisant sur la table le couteau trouvé dans la charrette, tu as là le couteau que j'ai perdu, le couteau de mon père. Garde- 140 le, c'est une bonne lame.

QUAND CETTE VIPÈRE VOUS PIQUE,
PAS DE REMÈDE EN LA BOUTIQUE.

Vois-tu, on tourne la virole[2] ainsi et puis on donne le coup comme cela ; de bas en haut, le fer entre mieux. Porte- 145 le dans ton corsage, et quand les méchants te voudront contrarier, paf ! tu leur fendras le ventre. » Et la petite commentait ses paroles de gestes assortis.

Cette leçon de couteau, donnée, la nuit, dans cette situation étrange par cette petite voleuse hagarde et demi-folle, 150 produisait sur Isabelle l'effet d'un de ces cauchemars qu'on essaie en vain de secouer.

[Chiquita disparaît comme elle est venue. Le lendemain matin, Isabelle raconte ce qui s'est passé à ses compagnons.]

notes

1. **cupide :** avide d'argent.   2. **virole :** bague de métal destinée à bloquer la lame en position ouverte.

Chapitre XI

Le Pont-Neuf

[Les comédiens arrivés à Paris prennent pension dans une « vaste hôtellerie ». Sigognac écrit à Pierre, resté au château.]

« Mon bon Pierre, me voici enfin à Paris, où, à ce qu'on prétend, je dois faire fortune et relever ma maison déchue[1], quoiqu'à vrai dire je n'en voie guère le moyen. Cependant quelque heureuse occasion peut me rapprocher de la cour, et si je parviens à parler au roi, de qui toutes grâces émanent, les services rendus par mes aïeux aux rois ses prédécesseurs me seront sans doute comptés. Sa Majesté ne souffrira[2] pas qu'une noble famille qui s'est ruinée dans les guerres s'éteigne ainsi misérablement. En attendant, faute d'autres ressources, je joue la comédie, et j'ai, à ce métier, gagné quelques pistoles dont je t'enverrai une part dès que j'aurai trouvé une occasion

notes

1. ma maison déchue : ma famille tombée dans la pauvreté.

2. souffrira : tolérera, supportera.

sûre. J'eusse mieux fait peut-être de m'engager comme soldat en quelque compagnie ; mais je ne voulais pas
15 contraindre ma liberté, et d'ailleurs quelque pauvre qu'il
soit, obéir répugne à celui dont les ancêtres ont commandé
et qui n'a jamais reçu d'ordres de personne. Et puis la solitude m'a fait un peu indomptable et sauvage. La seule aventure de marque que j'aie eue en ce long voyage, c'est un duel
20 avec un certain duc fort méchant et très grand spadassin[1],
dont je suis sorti à ma gloire, grâce à tes bonnes leçons. Je lui
ai traversé le bras de part en part, et rien ne m'était plus facile
que de le coucher mort sur le pré, car sa parade ne vaut pas
son attaque, étant plus fougueux que prudent et moins
25 ferme que rapide. Plusieurs fois il s'est découvert, et j'aurais
pu le dépêcher au moyen d'un de ces coups irrésistibles que
tu m'as enseignés avec tant de patience pendant ces longs
assauts que nous faisions dans la salle basse de Sigognac, la
seule dont le plancher fût assez solide pour résister à nos
30 appels de pieds, afin de tuer le temps, de nous dégourdir les
doigts et de gagner le sommeil par la fatigue. Ton élève te fait
honneur, et j'ai beaucoup grandi en la considération générale après cette victoire vraiment trop facile. Il paraît que je
suis décidément une fine lame, un gladiateur de premier
35 ordre. Mais laissons cela. Je pense souvent, malgré les distrac-
tions d'une nouvelle vie, à ce pauvre vieux château dont les
ruines s'écroulent sur les tombes de ma famille et où j'ai
passé ma triste jeunesse. De loin, il ne me paraît plus si laid
ni si maussade[2] ; même il y a des moments où je me pro-
40 mène en idée à travers ces salles désertes regardant les portraits jaunis qui, si longtemps, ont été ma seule compagnie et

faisant craquer sous mon pied quelque éclat de vitre tombé d'une fenêtre effondrée, et cette rêverie me cause une sorte de plaisir mélancolique. Cela me ferait aussi une vive joie de revoir ta bonne vieille face brunie par le soleil, éclairée à mon aspect d'un sourire cordial. Et pourquoi rougirais-je de le dire ? je voudrais bien entendre le rouet[1] de Béelzébuth, l'aboi de Miraut et le hennissement de ce pauvre Bayard, qui rassemblait ses dernières forces pour me porter, bien que je ne fusse guère lourd. Le malheureux que les hommes délaissent donne une part de son âme aux animaux plus fidèles que l'infortune n'effraie pas. Ces braves bêtes qui m'aimaient vivent-elles encore, et paraissent-elles se souvenir de moi et me regretter ? As-tu pu, du moins, en cet habitacle de misère, les empêcher de mourir de faim et prélever sur ta maigre pitance un lopin à leur jeter ? Tâchez de vivre tous jusqu'à ce que je revienne pauvre ou riche, heureux ou désespéré, pour partager mon désastre ou ma fortune, et finir ensemble, selon que le sort en disposera, dans l'endroit où nous avons souffert. Si je dois être le dernier des Sigognac, que la volonté de Dieu s'accomplisse ! Il y a encore pour moi une place vide dans le caveau[2] de mes pères.

Baron de Sigognac. »

[Le baron comprend que le duc Vallombreuse n'a pas renoncé à ses poursuites en reconnaissant quatre hommes du duc chargés sans doute de venir le tuer dans sa chambre. Le lendemain, il confie Isabelle aux comédiens et part visiter Paris en compagnie de Hérode.
Les voilà sur le Pont-Neuf. Une bagarre éclate.]

notes

1. rouet : instrument à roue,   **2. caveau :** tombeau.
ici ronronnement du chat.

Sigognac, sur l'avis d'Hérode, ne s'était pas trop approché

65 des combattants, de sorte qu'il ne pouvait les voir que confusément à travers les interstices[1] que laissaient au regard les têtes et les épaules des curieux. Cependant il lui sembla reconnaître dans ces quatre drôles les hommes dont il avait, la nuit précédente, surveillé les mystérieuses allures à

70 l'auberge de la rue Dauphine, et il communiqua son soupçon à Hérode. Mais déjà les bretteurs[2] s'étaient prudemment éclipsés derrière la foule, et il eût été plus malaisé de les retrouver qu'une aiguille en un tas de foin.

« Il est possible, dit Hérode, que cette querelle n'ait été

75 qu'un coup monté pour vous attirer sur ce point, car nous devons être suivis par les émissaires[3] du duc de Vallombreuse. Un des bretteurs eût feint d'être gêné ou choqué de votre présence, et, sans vous laisser le temps de dégainer, il vous eût porté comme par mégarde quelque botte assassine, et, au

80 besoin, ses camarades vous auraient achevé. Le tout eût été mis sur le dos d'une rencontre et rixe[4] fortuite[5]. En de telles algarades, celui qui a reçu les coups les garde. La préméditation et le guet-apens ne se peuvent prouver.

– Cela me répugne, répondit le généreux Sigognac, de

85 croire un gentilhomme capable de cette bassesse de faire assassiner son rival par des gladiateurs[6]. S'il n'est pas satisfait d'une première rencontre, je suis prêt à croiser de nouveau le fer avec lui, jusqu'à ce que la mort de l'un ou de l'autre s'ensuive. C'est ainsi que les choses se passent entre gens

90 d'honneur.

---

notes

1. interstices : petits espaces vides entre deux éléments.
2. bretteurs : hommes qui aiment se battre à l'épée.

3. émissaires : envoyés.
4. rixe : violente dispute.

5. fortuite : due au hasard.
6. gladiateurs : ici, mercenaires.

– Sans doute, répliqua Hérode, mais le duc sait bien, quelque enragé qu'il soit d'orgueil, que l'issue du combat ne pourrait manquer de lui être funeste. Il a tâté de votre lame et en a senti la pointe. Croyez qu'il conserve de sa défaite
95 une rancune diabolique, et ne sera pas délicat sur les moyens d'en tirer vengeance.

– S'il ne veut pas l'épée, battons-nous à cheval au pistolet, dit Sigognac, il ne pourra ainsi arguer de[1] ma force à l'escrime. »

100 En discourant de la sorte, les deux compagnons gagnèrent le quai de l'École, et là un carrosse faillit écraser Sigognac, encore qu'il se fût rangé promptement. Sa taille mince lui valut de n'être pas aplati sur la muraille, tant la voiture le serrait de près, bien qu'il y eût de l'autre côté assez
105 de place, et que le cocher, par une légère inflexion imprimée à ses chevaux, eût pu éviter ce passant qu'il semblait poursuivre. Les glaces de ce carrosse étaient levées, et les rideaux intérieurs abaissés ; mais qui les eût écartés eût vu un seigneur magnifiquement habillé, dont une bande de taffetas
110 noir pliée en écharpe soutenait le bras. Malgré le reflet rouge des rideaux fermés, il était pâle, et les arcs minces de ses sourcils noirs se dessinaient dans une mate blancheur. De ses dents, plus pures que des perles, il mordait jusqu'au sang sa lèvre inférieure, et sa moustache fine, roidie[2] par des
115 cosmétiques, se hérissait avec des contractions fébriles comme celle du tigre flairant sa proie. Il était parfaitement beau, mais sa physionomie avait une telle expression de cruauté, qu'elle eût plutôt inspiré l'effroi que l'amour, du

notes

1. arguer de : avancer comme argument.

2. roidie : raidie.

120 moins en ce moment, où des passions haineuses et mauvaises la décomposaient. À ce portrait, esquissé en soulevant le rideau d'une voiture qui passe à toute vitesse, on a sans doute reconnu le jeune duc de Vallombreuse.

[...]

Tout en causant, les deux compagnons s'étaient avancés le long du Louvre et des Tuileries jusqu'à la porte de la 125 Conférence[1], par où l'on va au Cours-la-Reine[2], lorsqu'ils virent devant eux un grand tourbillon de poussière où papillotaient des éclairs d'armes et des luisants de cuirasse. Ils se rangèrent pour laisser passer cette cavalerie qui précédait la voiture du roi, qui revenait de Saint-Germain au 130 Louvre. Ils purent voir dans le carrosse, car les glaces étaient baissées et les rideaux écartés, sans doute pour que le populaire contemplât tout son soûl le monarque arbitre de ses destinées, un fantôme pâle, vêtu de noir, le cordon bleu[3] sur la poitrine, aussi immobile qu'une effigie de cire. De longs 135 cheveux bruns encadraient ce visage mort attristé par un incurable[4] ennui, un ennui espagnol, à la Philippe II[5], comme l'Escurial[6] seul peut en mitonner dans son silence et sa solitude. Les yeux ne semblaient pas réfléchir les objets ; aucun désir, aucune pensée, aucun vouloir n'y mettait sa

---

notes

1. Conférence : porte construite en 1583 au bout du jardin des Tuileries et détruite en 1730.

2. Cours-la-Reine : promenade (allée) boisée qui allait, le long de la Seine, de la place de la Concorde à celle de l'Alma.

3. cordon bleu : insigne des chevaliers du Saint-Esprit.

4. incurable : que l'on ne peut guérir.

5. Philippe II : roi d'Espagne et de ses dépendances (1527-1598).

6. Escurial : palais royal en Espagne, dans la province de Madrid.

140 flamme. Un dégoût profond de la vie avait relâché la lèvre inférieure, qui tombait morose[1] avec une sorte de moue boudeuse. Les mains blanches et maigres posaient sur les genoux, comme celles de certaines idoles égyptiennes. Cependant il y avait encore une majesté royale dans cette
145 morne figure qui personnifiait la France, et en qui se figeait le généreux sang de Henri IV.

La voiture passa comme un éblouissement, suivie d'un gros de cavaliers qui fermaient l'escorte. Sigognac resta tout rêveur de cette apparition. En son imagination naïve, il se
150 représentait le roi comme un être surnaturel, rayonnant dans sa puissance au milieu d'un soleil d'or et de pierreries, fier, splendide, triomphal, plus beau, plus grand, plus fort que tous les autres ; il n'avait vu qu'une figure triste, chétive, ennuyée, souffreteuse[2], presque pauvre d'aspect, dans un
155 costume sombre comme le deuil, et ne paraissant pas s'apercevoir du monde extérieur, occupée qu'elle était de quelque lugubre rêverie. « Eh ! quoi, se disait-il en lui-même, voilà le roi, celui en qui se résument tant de millions d'hommes, qui trône au sommet de la pyramide, vers qui tant de mains se
160 tendent d'en bas suppliantes, qui fait taire ou gronder les canons, élève ou abaisse, punit ou récompense, dit "grâce" s'il le veut, quand la justice dit "mort", et peut changer d'un mot une destinée ! »

[Mérindol, un des hommes de Vallombreuse, engage Jacquemin Lampourde pour l'aider à accomplir sa mission d'assassiner Sigognac.]

notes

1. *morose* : d'humeur triste ; ici, tristement.

2. *souffreteuse* : en mauvaise santé, maladive.

Le « Radis couronné »

[Au *Radis couronné*, « le plus abominable bouge qu'on pût imaginer », Lampourde retrouve Malartic, un individu de son espèce. L'attention des deux hommes est attirée par un groupe dans lequel se discute un pari.]

Malartic et Lampourde, dont l'attention était éveillée, aperçurent un homme de moyenne taille, mais singulièrement alerte et vigoureux, halé de visage comme un More[1] d'Espagne, les cheveux noués d'un mouchoir,
5 vêtu d'un caban[2] de couleur marron qui en s'entrouvrant permettait de voir un justaucorps de buffle et des chausses brunes ornées sur la couture d'un rang de boutons de cuivre en forme de grelots. Une large ceinture de laine rouge lui sanglait les reins, et il en avait tiré une
10 navaja[3] valencienne qui, ouverte, atteignait la longueur

---

notes

1. More : de sang arabe, Maure.

2. caban : grande veste de laine des marins.

3. navaja : poignard espagnol à lame courbe.

d'un sabre. Il en serra le cercle, en essaya la pointe avec le bout du doigt et parut satisfait de son examen, car il dit à son adversaire : « Je suis prêt », puis, avec un accent guttural, il siffla un nom bizarre que n'avaient jamais entendu les buveurs du *Radis couronné*, mais qui a déjà figuré plus d'une fois dans ces pages : « Chiquita ! Chiquita ! »

À la seconde appellation, une fillette maigre et hâve[1], endormie dans un coin sombre, se débarrassa de la cape dont elle s'était soigneusement entortillée et qui la faisait ressembler à un paquet de chiffons, s'avança vers Agostin, car c'était lui, et fixant sur le bandit ses grands yeux étincelants, avivés encore par une auréole de bistre, elle lui dit d'une voix grave et profonde qui contrastait avec son apparence chétive :

« Maître, que veux-tu de moi ? je suis prête à t'obéir ici comme sur la lande, car tu es brave et ta navaja compte bien des raies rouges. » Chiquita dit ces mots en langue eskuara ou patois basque, aussi inintelligible pour des Français que du haut allemand, de l'hébreu ou du chinois.

Agostin prit Chiquita par la main et la plaça debout contre la porte en lui recommandant de se tenir immobile. La petite, accoutumée à ces exercices, ne témoignait ni frayeur ni surprise ; elle restait là, les bras ballants, regardant devant elle avec une sérénité parfaite, tandis qu'Agostin placé à l'autre bout de la salle, un pied avancé, l'autre en retraite, balançait le long couteau dont le manche était appuyé sur son avant-bras.

Une double haie de curieux formait une sorte d'allée d'Agostin à Chiquita, et ceux des truands qui avaient la barrique[2] proéminente la rentraient en retenant leur

---

notes

1. hâve : d'une pâleur maladive.

2. barrique : évocation du ventre des truands.

La petite, accoutumée à ces exercices, ne témoignait ni frayeur ni surprise.

40 respiration, de peur qu'elle ne dépassât la ligne. Les nez en flûtes d'alambic[1] se reculaient prudemment pour n'être pas tranchés au vol.

Enfin le bras d'Agostin se détendit comme un ressort ; un éclair brilla et l'arme formidable alla se planter dans la porte 45 juste au-dessus de la tête de Chiquita, sans lui couper un cheveu, mais avec une précision telle qu'il semblait qu'on eût voulu prendre la mesure de sa taille.

Quand la navaja passa en sifflant, les spectateurs n'avaient pu s'empêcher de baisser les yeux ; mais l'épaisse frange de 50 cils de la jeune fille n'avait pas même palpité. L'adresse du bandit excita une rumeur admirative parmi ce public difficile. L'adversaire même qui avait douté que ce coup fût possible battit des mains plein d'enthousiasme.

Agostin détacha le couteau qui vibrait encore, retourna à 55 son poste, et cette fois fit passer la lame entre le bras et le corps de Chiquita impassible. Si la pointe eût dévié de trois ou quatre lignes, elle arrivait en plein cœur. Bien que la galerie criât que c'était assez, Agostin recommença l'expérience de l'autre côté du buste pour montrer que son adresse ne 60 devait rien au hasard.

Chiquita, enorgueillie par ces applaudissements qui s'adressaient autant à son courage qu'à la dextérité d'Agostin, promenait autour d'elle un regard de triomphe ; ses narines gonflées aspiraient l'air avec force, et dans sa 65 bouche entrouverte, ses dents pures comme celles d'un animal sauvage, brillaient d'une blancheur féroce. L'éclat de sa denture, les paillettes phosphoriques de ses prunelles, mettaient à son visage sombre, tanné par le grand air, trois points

note
_____

1. alambic : appareil
pour distiller l'alcool.

lumineux qui l'éclairaient. Ses cheveux incultes[1] se tordaient
autour de son front et de ses joues en longs serpents noirs,
mal retenus par un ruban incarnadin que débordaient et
cachaient çà et là les boucles rebelles. À son col, plus fauve
que du cuir de Cordoue, luisaient comme des gouttes lai-
teuses les perles du collier qu'elle tenait d'Isabelle. Quant à
son costume, il était changé sinon amélioré. Chiquita ne portait plus la jupe jaune serin brodée d'un perroquet, qui lui eût
donné à Paris l'aspect par trop étrange et remarquable. Elle
avait une courte robe bleu sombre, à petits plis froncés sur les
hanches, et une sorte de veste ou brassière en bouracan[2] noir
que fermaient, à la naissance de la poitrine, deux ou trois
boutons de corne. Ses pieds, habitués à fouler la bruyère fleu-
rie et parfumée, étaient chaussés de souliers beaucoup trop
grands pour elle, car le savetier n'en avait pu trouver d'assez
petits en son échoppe[3]. Ce luxe paraissait la gêner ; mais il
avait bien fallu faire cette concession aux froides boues pari-
siennes. Elle était tout aussi farouche qu'à l'auberge du *Soleil
bleu*, cependant on voyait qu'un plus grand nombre d'idées
passaient à travers sa sauvagerie, et, dans l'enfant, déjà pointait
quelque nuance de la jeune fille. Elle avait vu bien des choses
depuis son départ de la lande, et de ces spectacles son imagination naïve gardait comme un éblouissement.

Elle regagna le coin qu'elle occupait et, s'enveloppant
de sa mante[4], reprit son sommeil interrompu. L'homme
qui avait perdu le pari paya les cinq pistoles[5], montant de
l'enjeu, au compagnon de Chiquita.

[…]

---

notes

1. incultes : ici, non coiffés.

2. bouracan : tissu
de laine très épais.

3. échoppe : boutique.

4. mante : manteau.

5. pistoles : la pistole est
une ancienne monnaie d'or.

Double attaque

[Le duc de Vallombreuse fait venir dame Léonarde pour lui demander conseil. La vieille comédienne lui suggère de faire la cour à Isabelle. Le duc décide de tenter sa chance et pénètre dans la chambre de la jeune fille.]

Vallombreuse s'était avancé jusqu'au milieu de la chambre, suspendant ses pas, retenant son haleine, pour ne pas déranger ce gracieux tableau qu'il contemplait avec un ravissement bien concevable ; en attendant
5 qu'Isabelle levât les yeux et l'aperçût, il avait mis un genou en terre et tenait d'une main son feutre dont la plume balayait le plancher, tandis qu'il appuyait l'autre main sur son cœur dans une pose qu'on n'eût pu désirer plus respectueuse pour une reine.
10 Si la jeune comédienne était belle, Vallombreuse, il faut l'avouer, n'était pas moins beau ; la lumière donnait en plein sur sa figure d'une régularité parfaite et semblable à celle d'un jeune dieu grec qui se serait fait duc

depuis la déchéance[1] de l'Olympe[2]. En ce moment, l'amour
et l'admiration qui s'y peignaient en avaient fait disparaître
cette expression impérieusement cruelle qu'on regrettait
parfois d'y voir. Les yeux jetaient des flammes, la bouche
semblait lumineuse ; à ses joues pâles il montait du cœur
comme une sorte de clarté rose. Des éclairs bleuâtres passaient sur ses cheveux bouclés et lustrés de parfums comme
des frissons de jour sur du jayet[3] poli. Son col, délicat et
robuste à la fois, prenait des blancheurs de marbre. Illuminé
par la passion, il rayonnait, il étincelait, et vraiment on com-
prenait qu'un duc fait de la sorte ne pût admettre l'idée que
déesse, reine ou comédienne lui résistât.

Enfin Isabelle tourna la tête et vit le duc de Vallombreuse
agenouillé à six pas d'elle. Persée[4] lui eût porté au visage le
masque de Méduse[5], enchâssé dans son bouclier et faisant la
grimace de l'agonie au milieu d'un éparpillement de ser-
penteaux, qu'elle n'eût pas éprouvé une stupeur pareille. Elle
resta glacée, pétrifiée, les yeux dilatés de terreur, la bouche
entrouverte et le gosier aride, sans pouvoir faire un mouvement ni pousser un cri. Une pâleur de mort se répandit sur
ses traits, son dos s'emperla de sueur froide ; elle crut qu'elle
allait s'évanouir ; mais par un prodigieux effort de volonté,
elle rappela ses sens pour ne pas rester exposée aux entreprises de ce téméraire.

« Je vous inspire donc une bien insurmontable horreur,
dit Vallombreuse sans quitter sa position et de la voix la plus

40 douce, que ma vue seule vous produit un tel effet. Un monstre d'Afrique sortant de sa caverne, la gueule rouge, les dents aiguisées et les griffes en arrêt vous eût, certes, moins effrayée. Mon entrée, j'en conviens, a été un peu inopinée[1] et subite ; mais il ne faut pas en vouloir à la passion des inci-

45 vilités qu'elle fait commettre. Pour vous voir, j'ai affronté votre courroux[2], et mon amour, au risque de vous déplaire, se met à vos pieds suppliant et timide.

— De grâce, monsieur le duc, relevez-vous, dit la jeune comédienne, cette position ne vous convient point. Je ne

50 suis qu'une pauvre actrice de province, et mes faibles charmes ne méritent pas une telle conquête. Oubliez un caprice passager et portez ailleurs des vœux que tant de femmes seraient heureuses de combler. Ne rendez point les reines, les duchesses et les marquises jalouses à cause de moi.

55 — Et que m'importent toutes ces femmes, fit impétueu-sement Vallombreuse en se relevant, si c'est votre fierté que j'adore, si vos rigueurs ont plus de charme à mes yeux que les faveurs des autres, si votre sagesse m'enivre, si votre modestie excite ma passion jusqu'au délire, s'il faut que vous

60 m'aimiez ou que je meure ! Ne craignez rien, ajouta-t-il en voyant qu'Isabelle ouvrait la fenêtre comme pour se préci-piter s'il se portait à quelque violence, je ne demande autre chose sinon que vous souffriez ma présence, que vous me permettiez de vous faire ma cour et d'attendrir votre cœur,

65 comme font les amants les plus respectueux.

— Épargnez-moi ces poursuites inutiles, répondit Isabelle, et j'aurai pour vous, à défaut d'amour, une reconnaissance sans bornes.

---

notes

1. inopinée : imprévue.   **2. courroux :** colère.

« **Je vous inspire donc une bien insurmontable horreur…** »

—Vous n'avez ni père, ni mari, ni amant, dit Vallombreuse,
qui se puisse opposer à ce qu'un galant homme vous
recherche et tâche de vous agréer[1]. Mes hommages ne sont
pas une insulte. Pourquoi me repousser ? Oh ! vous ne savez
pas quelle vie splendide j'ouvrirais devant vous si vous
consentiez à m'accueillir. Les enchantements des féeries

note
1. agréer : plaire.

75 pâliraient à côté des imaginations de mon amour pour vous plaire. Vous marcheriez comme une déesse sur les nuées. Vos pieds ne fouleraient que de l'azur et de la lumière. Toutes les cornes d'abondance répandraient leurs trésors devant vos pas. Vos souhaits n'auraient pas le temps de naître, je les

80 surprendrais dans vos yeux et je les devancerais. Le monde lointain s'effacerait comme un rêve, et d'un même vol, à travers les rayons, nous monterions vers l'Olympe plus beaux, plus heureux, plus enivrés que Psyché[1] et l'Amour. Voyons, Isabelle, ne détournez pas ainsi la tête, ne gardez pas

85 ce silence de mort, ne poussez pas au désespoir une passion qui peut tout, excepté renoncer à elle-même et à vous.

– Cette passion dont toute autre tirerait orgueil, répondit modestement Isabelle, je ne saurais la partager. La vertu que je fais profession d'estimer plus que la vie ne s'y opposerait

90 pas, que je déclinerais encore ce dangereux honneur.

– Regardez-moi d'un œil favorable, continua Vallombreuse, je vous rendrai un objet d'envie pour les plus grandes et les plus haut situées. À une autre femme je dirais : dans mes châteaux, dans mes terres, dans mes hôtels, prenez ce

95 qu'il vous plaira, saccagez mes cabinets pleins de diamants et de perles, plongez vos bras jusqu'aux épaules au fond de mes coffres, habillez votre livrée[2] d'habits trop riches pour des princes, faites ferrer d'argent fin les chevaux de vos carrosses, menez le train d'une reine ; éblouissez Paris qui pourtant ne

100 s'étonne guère. Tous ces appâts sont trop grossiers pour une âme de la trempe dont est la vôtre. Mais cette gloire peut vous toucher d'avoir réduit et vaincu Vallombreuse, de le mener captif derrière votre char de triomphe, de nommer

notes

1. Psyché : jeune fille d'une grande beauté aimée d'Éros, le dieu grec de l'Amour.

2. livrée : ensemble des domestiques d'une grande maison.

votre serviteur et votre esclave celui qui n'a jamais obéi, et
105 que nuls fers n'ont pu retenir.

– Ce prisonnier serait trop illustre pour mes chaînes, dit
la jeune actrice, et je ne voudrais pas contraindre une liberté
si précieuse ! »

Jusque-là le duc de Vallombreuse s'était contenu ; il
110 forçait sa violence naturelle à une douceur feinte, mais la
résistance respectueuse et ferme d'Isabelle commençait à
faire bouillonner sa colère. Il sentait un amour derrière cette
vertu, et son courroux s'augmentait de sa jalousie. Il fit
quelques pas vers la jeune fille qui mit la main sur la ferrure
115 de la fenêtre. Ses traits étaient contractés, il se mordait les
lèvres et l'air de méchanceté avait reparu sur son visage.

« Dites plutôt, reprit-il d'une voix altérée[1], que vous êtes
folle de Sigognac ! Voilà la raison de cette vertu dont vous
faites montre. Qu'a-t-il donc pour vous charmer de la sorte,
120 cet heureux mortel ? Ne suis-je pas plus beau, plus noble,
plus riche, aussi jeune, aussi spirituel, aussi amoureux que lui !

– Il a du moins, répondit Isabelle, une qualité qui vous
manque : celle de respecter ce qu'il aime.

– C'est qu'il n'aime pas assez », fit Vallombreuse en
125 prenant dans ses bras Isabelle dont le corps penchait déjà
hors de la fenêtre, et qui, sous l'étreinte de l'audacieux, poussa
un faible cri.

Au même instant la porte s'ouvrit. Le Tyran, faisant des
courbettes et des révérences outrées, pénétra dans la
130 chambre et s'avança vers Isabelle, qu'aussitôt lâcha
Vallombreuse avec une rage profonde d'être ainsi interrompu en ses prouesses amoureuses.

note
───────────
1. altérée : troublée.

« Pardon, mademoiselle, dit le Tyran en lançant au duc un regard de travers, je ne vous savais pas en si bonne compagnie ; mais l'heure de la répétition a sonné à toutes les horloges et l'on n'attend plus que vous pour commencer. »

[Sigognac, agité d'une « vague inquiétude […] à l'endroit d'Isabelle », regagne rapidement l'auberge. Sur le chemin, Lampourde le provoque en duel. Sigognac triomphe grâce à une botte apprise par Pierre et le bretteur lui exprime son admiration.]

« Baron, permettez-moi d'être désormais votre admirateur, votre esclave, votre chien. On m'avait payé pour vous tuer. J'ai même reçu des avances que j'ai mangées. C'est égal ! Je volerai pour rendre l'argent. » Cela dit, il ramassa le manteau de Sigognac, le lui remit sur les épaules en valet de chambre officieux[1], le salua profondément et s'éloigna.

Les deux attaques du duc de Vallombreuse avaient manqué[2].

Chapitre XIV

Les délicatesses de Lampourde

[Rempli d'admiration pour le baron qu'il renonce à tuer, Lampourde vient annoncer au duc de Vallombreuse qu'il se « retire de l'affaire en ce qui concerne Sigognac » et que son ami Malartic est l'homme qu'il lui faut.]

Chapitre XV

Malartic à l'œuvre

[La troupe connaît un grand succès ; aussi Hérode ne s'étonne-t-il pas de la démarche d'un majordome qui, prétendant être l'intendant du comte de Pommereuil, l'invite à venir donner une représentation au château du comte situé à trois journées de voyage de Paris. Les comédiens se mettent en route. Sigognac et Isabelle marchent à l'écart quand ils croisent un aveugle accompagné d'un enfant.]

Isabelle se sentit touchée à l'aspect de ce groupe pitoyable où se réunissaient les infortunes de la vieillesse et de l'enfance, et elle s'arrêta devant l'aveugle, qui débitait ses patenôtres[1] avec une volubilité[2] toujours
5 croissante, accompagné par la voix aiguë de son guide, cherchant dans sa pochette une pièce de monnaie

notes

1. **patenôtres :** prières récitées machinalement.

2. **volubilité :** rapidité dans la manière de parler.

blanche pour la donner au mendiant. Mais elle ne trouva pas sa bourse, et, se retournant vers Sigognac, le pria de lui prêter un teston[1] ou deux, ce à quoi s'accorda bien volontiers

10 le baron, quoique cet aveugle, avec ses jérémiades[2], ne lui plût guère. En galant homme, pour éviter à Isabelle d'approcher cette vermine[3], il s'avança lui-même et mit la pièce en la sébile.

Alors, au lieu de remercier Sigognac de cette aumône, le

15 mendiant si courbé tout à l'heure, se redressa, au grand effroi d'Isabelle, et ouvrant les bras, comme un vautour qui, pour prendre l'essor, palpite des ailes, déploya ce grand manteau brun sous lequel il semblait accablé, le ramassa sur son épaule et le lança avec un mouvement pareil à celui des pêcheurs

20 qui jettent l'épervier[4] dans un étang ou une rivière. La lourde étoffe s'étala comme un nuage par-dessus la tête de Sigognac, le coiffa, et retomba pesamment le long de son corps, car les bords en étaient plombés comme ceux d'un filet, lui ôtant du même coup la vue, la respiration, l'usage

25 des mains et des pieds.

La jeune actrice, pétrifiée d'épouvante, voulut crier, fuir, appeler au secours, mais avant qu'elle eût pu tirer un son de sa gorge elle se sentit enlevée de terre avec une prestesse extrême. Le vieil aveugle devenu, en une minute, jeune et

30 clairvoyant par un miracle plus infernal que céleste, l'avait saisie sous les bras, tandis que le jeune garçon lui soutenait les jambes. Tous deux gardaient le silence et l'emportaient hors du chemin. Ils s'arrêtèrent derrière la masure où attendait un homme masqué monté sur un cheval vigoureux.

---

notes

1. teston : petite monnaie d'argent.

2. jérémiades : plaintes, lamentations.

3. vermine : ici, homme repoussant.

4. épervier : ici, sorte de filet de pêche.

35　　Deux autres hommes, également à cheval, masqués, armés jusqu'aux dents, se tenaient derrière un mur qui empêchait qu'on ne les vît de la route prêts à venir en aide au premier, en cas de besoin.

　　Isabelle, plus qu'à demi morte de frayeur, fut assise sur
40　l'arçon[1] de la selle, recouvert d'un manteau plié en plusieurs doubles, de façon à former une espèce de coussin. Le cavalier lui entoura la taille d'une courroie en cuir assez lâche pour l'environner lui-même à la hauteur des reins et, les choses ainsi arrangées avec une dextérité rapide prouvant
45　une grande pratique de ces enlèvements hasardeux, il donna de l'éperon à son cheval qui s'écrasa sous ses jarrets et partit d'un train à prouver que cette double charge ne lui pesait guère : il est vrai que la jeune comédienne n'était pas bien lourde.

50　　Tout ceci se passa dans un temps moins long que celui nécessaire pour l'écrire. Sigognac se démenait sous le lourd manteau du faux aveugle, comme un rétiaire[2] entortillé par le filet de son adversaire. Il enrageait, pensant à quelque trahison de Vallombreuse, à l'endroit d'Isabelle, et s'épuisait
55　en efforts. Heureusement cette idée lui vint de tirer sa dague et de fendre l'épaisse étoffe qui le chargeait comme ces chapes[3] de plomb que portent les damnés du Dante[4].

　　En deux ou trois coups de dague, il ouvrit sa prison et, comme un faucon désencapuchonné[5], parcourant la
60　campagne d'un regard perçant et rapide, il vit les ravisseurs

---

notes

1. arçon : armature de la selle.

2. rétiaire : gladiateur romain armé d'un trident et d'un filet.

3. chapes : grands manteaux.

4. Dante : auteur italien de *L'Enfer* (1265-1321).

5. faucon désencapuchonné : rapace utilisé pour la chasse ; on recouvre sa tête d'un capuchon de cuir lorsqu'il ne chasse pas.

d'Isabelle, qui coupaient à travers champs et semblaient s'efforcer de gagner un petit bouquet de bois, non loin de là. Quant à l'aveugle et à l'enfant, ils avaient disparu, s'étant cachés en quelque fossé ou sous quelque broussaille. Mais ce
65 n'était point à ce vil gibier qu'en voulait Sigognac. Jetant son manteau, qui l'eût gêné, il se lança à la poursuite de ces coquins avec une furie désespérée. Le baron était alerte, bien découplé[1], taillé pour la course et, en sa jeunesse, il avait souvent lutté de vitesse contre les plus agiles enfants du village.
70 Les ravisseurs, en se retournant sur leur selle, voyaient diminuer la distance qui les séparait du baron, et l'un d'eux lui lâcha même un coup de pistolet pour l'arrêter en sa poursuite. Mais il le manqua, car Sigognac, tout en courant, sautait à droite et à gauche, afin de ne pouvoir être ajusté
75 sûrement. Le cavalier qui portait Isabelle essayait de prendre les devants, laissant à son arrière-garde le soin de se débrouiller avec Sigognac, mais la jeune femme placée sur l'arçon ne lui permettait pas de conduire sa monture comme il l'eût voulu, car elle se débattait et s'agitait, tâchant de glisser à terre.
80 Sigognac se rapprochait de plus en plus, le terrain n'étant plus favorable aux chevaux. Il avait dégainé, sans ralentir sa course, son épée qu'il portait haute ; mais il était à pied, seul, contre trois hommes bien montés, et le vent[2] commençait à lui manquer ; il fit un effort prodigieux, et en deux ou trois
85 bonds joignit les cavaliers qui protégeaient la fuite du ravisseur. Pour ne pas perdre de temps à lutter contre eux, il piqua, à deux ou trois reprises, avec la pointe de sa rapière, la croupe de leurs bêtes, comptant qu'aiguillonnées de la sorte elles s'emporteraient. En effet, les chevaux, affolés de

notes

1. découplé : de belle taille.
2. vent : souffle.

90 douleur, se cabrèrent, lancèrent des ruades et, prenant le mors aux dents, quelques efforts que leurs cavaliers fissent pour les contenir, ils gagnèrent à la main[1] et se mirent à galoper comme si le diable les emportait, sans souci des fossés ni des obstacles, si bien qu'en un moment ils furent hors de vue.

95 Haletant, la figure baignée de sueur, la bouche aride, croyant à chaque minute que son cœur allait éclater dans sa poitrine, Sigognac atteignit enfin l'homme masqué qui tenait Isabelle en travers sur le garrot de sa monture. La jeune femme criait : « À moi, Sigognac, à moi ! – Me voici », râla 100 le baron d'une voix entrecoupée et sifflante, et de la main gauche il se suspendit à la courroie qui reliait Isabelle au brigand. Il s'efforçait de le tirer à bas, courant à côté du cheval comme ces écuyers que les Latins nommaient *desultores*[2]. Mais le cavalier serrait les genoux, et il eût été aussi facile de 105 dévisser le torse d'un centaure[3] que de l'arracher de sa selle ; en même temps il cherchait des talons le ventre de sa bête pour l'enlever, et tâchait de secouer Sigognac qu'il ne pouvait charger, car il avait les mains occupées à tenir la bride et à contraindre Isabelle. La course du cheval ainsi tiraillé et 110 empêché perdait de sa vitesse, ce qui permit à Sigognac de reprendre un peu haleine ; même il profita de ce léger temps d'arrêt pour chercher à percer son adversaire ; mais la crainte de blesser Isabelle en ces mouvements tumultueux fit qu'il assura mal son coup. Le cavalier, lâchant un instant les rênes, 115 prit dans sa veste un couteau dont il trancha la courroie à laquelle Sigognac s'accrochait désespérément ; puis il

---

notes

1. gagnèrent à la main : se dégagèrent de l'emprise de la main du cavalier.

2. desultores : cavaliers qui sautaient d'un cheval à l'autre dans les jeux de cirque chez les Romains.

3. centaure : créature mythologique au corps de cheval, au buste et à la tête d'homme.

enfonça, à en faire jaillir le sang, les molettes étoilées[1] de ses éperons dans les flancs du pauvre animal, qui se porta en avant avec une impétuosité irrésistible. La lanière de cuir
120 resta au poing de Sigognac, qui n'ayant plus d'appui et ne s'attendant pas à cette feinte, tomba fort rudement sur le dos ; quelque agilité qu'il mît à se relever et à ramasser son épée roulée à quatre pas de lui, ce court intervalle avait suffi au cavalier pour prendre une avance que le baron ne devait pas
125 espérer faire disparaître, fatigué comme il l'était par cette lutte inégale et cette course furibonde. Cependant, aux cris de plus en plus faibles d'Isabelle, il se lança de nouveau à la poursuite du ravisseur ; inutile effort d'un grand cœur qui se voit enlever ce qu'il aime ! Mais il perdait sensiblement du
130 terrain, et déjà le cavalier avait gagné le bois dont la masse, bien que dénuée de feuilles, suffisait par l'enchevêtrement de ses troncs et de ses branches à masquer la direction qu'avait prise le bandit.

Quoique forcené[2] de rage et outré de douleur, il fallut
135 bien que Sigognac s'arrêtât, laissant son Isabelle si chère aux griffes de ce démon ; car il ne la pouvait secourir même avec l'aide d'Hérode et de Scapin qui, au bruit de la pistolade, étaient sautés à bas de la charrette, bien que le maraud de laquais tâchât à les retenir, se doutant de quelque algarade,
140 mésaventure ou guet-apens.

En quelques mots brefs et saccadés, Sigognac les mit au courant de l'enlèvement d'Isabelle et de tout ce qui s'était passé.

---

notes

1. molettes étoilées : roues en forme d'étoile fixées aux éperons et destinées à piquer le cheval pour qu'il presse son allure.

2. forcené : fou.

Chapitre XVI

Vallombreuse

[Isabelle est emmenée au château de Vallombreuse. Après avoir parcouru les lieux occupés par les hommes du duc et compris qu'elle ne pouvait s'échapper, elle retourne dans sa chambre et, surprise, découvre Chiquita.]

« Est-ce bien loin de Paris, ce château où l'on me tient prisonnière ? dit la jeune femme en attirant Chiquita entre ses genoux ; en as-tu entendu prononcer le nom par quelqu'un de ces hommes ?

5 — Oui, Tordgueule[1] a dit que l'endroit se nommait… comment donc déjà ? fit la petite, en se grattant la tête d'un air d'embarras.

— Tâche de t'en souvenir, mon enfant, dit Isabelle en flattant de la main les joues brunes de Chiquita, qui

note
_____

1. Tordgueule : un homme de Vallombreuse et ami d'Agostin.

10 rougit de plaisir à cette caresse, car jamais personne n'avait eu pareille attention pour elle.

– Je crois que c'est Vallombreuse, répondit Chiquita, syllabe par syllabe comme si elle écoutait un écho intérieur. Oui, Vallombreuse, j'en suis sûre maintenant ; le nom même 15 du seigneur que ton ami le capitaine Fracasse a blessé en duel. Il aurait mieux fait de le tuer. Ce duc est très méchant, quoiqu'il jette l'or à poignées comme un semeur de grain. Tu le hais, n'est-ce pas ? et tu serais bien contente si tu parvenais à lui échapper.

20 – Oh ! oui ; mais c'est impossible, dit la jeune comédienne ; un fossé profond entoure le château ; le pont-levis est ramené. Toute évasion est impraticable.

– Chiquita se rit des grilles, des serrures, des murailles et des douves ; Chiquita peut sortir à son gré de la prison la 25 mieux close et s'envoler dans la lune aux yeux du geôlier ébahi. Si elle veut, avant que le soleil se lève, le Capitaine saura où est cachée celle qu'il cherche. »

Isabelle craignait, en entendant ces phrases incohérentes, que la folie n'eût troublé le faible cerveau de Chiquita ; mais 30 la physionomie de l'enfant était si parfaitement calme, ses yeux avaient un regard si lucide, et le son de sa voix un tel accent de conviction, que cette supposition n'était pas admissible ; cette étrange créature possédait certainement une partie du pouvoir presque magique qu'elle s'attribuait.

35 Comme pour convaincre Isabelle qu'elle ne se vantait point, elle lui dit : « Je vais sortir d'ici tout à l'heure ; laissemoi réfléchir un instant pour trouver le moyen ; ne parle pas, retiens ta respiration ; le moindre bruit me distrait ; il faut que j'entende l'Esprit. »

40 Chiquita pencha la tête, mit la main sur ses yeux afin de s'isoler, resta quelques minutes dans une immobilité morte, puis elle releva le front, ouvrit la fenêtre, monta sur l'appui

et plongea dans l'obscurité un regard d'une intensité profonde. Au bas de la muraille clapotait l'eau sombre du fossé
45   poussée par la bise nocturne.

« Va-t-elle, en effet, prendre son vol comme une chauve-souris ? » se disait la jeune actrice qui suivait d'un œil attentif tous les mouvements de Chiquita.

En face de la fenêtre, de l'autre côté de la douve, se
50   dressait un grand arbre plusieurs fois centenaire, dont les maîtresses branches s'étendaient presque horizontalement moitié sur la terre, moitié sur l'eau du fossé ; mais il s'en fallait de huit ou dix pieds[1] que l'extrémité du plus long branchage atteignît la muraille. C'était sur cet arbre qu'était
55   basé le projet d'évasion de Chiquita. Elle rentra dans la chambre, elle tira d'une de ses poches une cordelette de crin, très fine, très serrée, mesurant de sept à huit brasses[2], la déroula méthodiquement sur le parquet ; tira de son autre poche une sorte d'hameçon de fer qu'elle accrocha à la
60   corde ; puis elle s'approcha de la fenêtre et lança le crochet dans les branches de l'arbre. La première fois l'ongle de fer ne mordit pas et retomba avec la corde en sonnant sur les pierres du mur. À la seconde tentative, la griffe de l'hameçon piqua l'écorce et Chiquita tira la corde à elle, en priant
65   Isabelle de s'y suspendre de tout son poids. La branche accrochée céda autant que la flexibilité du tronc le permettait, et se rapprocha de la croisée de cinq ou six pieds. Alors Chiquita fixa la cordelette après la serrurerie du balcon par un nœud qui ne pouvait glisser et, soulevant son corps frêle
70   avec une agilité singulière, elle se pendit des mains au cordage,

---

notes

1. pieds : le pied est une mesure de longueur équivalant à 0,32 mètre.

2. brasses : la brasse est une mesure de longueur équivalant à 1,60 mètre.

et par des déplacements de poignets eut bientôt gagné la branche qu'elle enfourcha dès qu'elle la sentit solide.

« Défais maintenant le nœud de la corde que je la retire à moi, dit-elle à la prisonnière d'une voix basse mais distincte ; à moins que tu n'aies envie de me suivre, mais la peur te serrerait le col, et le vertige te tirerait par les pieds pour te faire tomber dans l'eau. Adieu ! je vais à Paris et je serai bientôt de retour. On marche vite au clair de lune. »

Isabelle obéit, et l'arbre n'étant plus maintenu, reprit sa position ordinaire, reportant Chiquita à l'autre bord du fossé. En moins d'une minute, s'aidant des genoux et des mains, elle se trouva au bas du tronc, sur la terre ferme, et bientôt la captive la vit s'éloigner d'un pas rapide et se perdre dans les ombres bleuâtres de la nuit.

[Le lendemain matin.]

Le pont-levis s'abaissa : le roulement d'un carrosse mené d'un grand train retentit sur le plateau du tablier[1], gronda sous la voûte comme un tonnerre sourd et s'éteignit dans la cour intérieure.

Qui pouvait entrer de cette façon altière et magistrale si ce n'est le seigneur du lieu, le duc de Vallombreuse lui-même ? Isabelle sentit à ce mouvement qui avertit la colombe de la présence du vautour, bien qu'elle ne le voie pas encore, que c'était bien l'ennemi et non un autre. Ses belles joues en devinrent pâles comme cire vierge, et son pauvre petit cœur se mit à battre la chamade dans la forteresse de son corsage quoiqu'il n'eût aucune envie de se rendre. Mais bientôt

note
_____

1. tablier : partie supérieure
du pont-levis.

faisant effort sur elle-même, cette courageuse fille rappela ses esprits et se prépara pour la défense. « Pourvu, se disait-elle, que Chiquita arrive à temps et m'amène du secours ! » et ses yeux involontairement se tournaient vers le médaillon placé au-dessus de la cheminée : « Ô toi, qui as l'air si noble et si bon, protège-moi contre l'insolence et la perversité de ta race. Ne permets pas que ces lieux où rayonne ton image soient témoins de mon déshonneur ! »

Au bout d'une heure que le jeune duc employa à réparer le désordre qu'apporte toujours dans une toilette un voyage rapide, le majordome[1] entra cérémonieusement chez Isabelle et lui demanda si elle pouvait recevoir M. le duc de Vallombreuse.

« Je suis prisonnière, répondit la jeune femme avec beaucoup de dignité ; ma réponse n'est pas plus libre que ma personne, et cette demande qui serait polie en situation ordinaire, n'est que dérisoire[2] en l'état où je suis. Je n'ai aucun moyen d'empêcher M. le duc d'entrer dans cette chambre d'où je ne puis sortir. Sa visite, je ne l'accepte point ; je la subis. C'est un cas de force majeure. Qu'il vienne s'il lui plaît de venir, à cette heure ou à une autre : ce m'est tout un. Allez lui redire mes paroles. »

Le majordome s'inclina, se retira à reculons vers la porte, car les plus grands égards lui avaient été recommandés à l'endroit d'Isabelle, et disparut pour aller dire à son maître que « mademoiselle » consentait à le recevoir.

Au bout de quelques instants, le majordome reparut annonçant le duc de Vallombreuse.

---

notes

1. majordome : responsable des domestiques.

2. dérisoire : ridicule, dépourvue de sens.

125   Isabelle s'était levée à demi de son fauteuil, où l'émotion la fit retomber couverte d'une mortelle pâleur. Vallombreuse s'avança vers elle, chapeau bas, dans l'attitude du plus profond respect. Comme il la vit tressaillir à son approche, il s'arrêta au milieu de la chambre, salua la jeune comédienne
130 et lui dit, de cette voix qu'il savait rendre si douce pour séduire :

    « Si ma présence est trop odieuse maintenant à la charmante Isabelle, et qu'elle ait besoin de quelque temps pour s'habituer à l'idée de me voir, je me retirerai. Elle est ma
135 prisonnière, mais je n'en suis pas moins son esclave.

    — Cette courtoisie vient tard, répondit Isabelle, après la violence que vous avez exercée contre moi.

    — Voilà ce que c'est, reprit le duc, que de pousser les gens à bout par une vertu trop farouche. N'ayant plus d'espoir, ils
140 se portent aux dernières extrémités, sachant qu'ils ne peuvent empirer leur situation. Si vous aviez bien voulu souffrir que je vous fisse ma cour, et montrer quelque complaisance à ma flamme, je serais resté parmi les rangs de vos adorateurs, essayant, à force de galanteries délicates, de magnificences
145 amoureuses, de dévouements chevaleresques, de passion ardente et contenue, d'attendrir lentement ce cœur rebelle. Je vous aurais inspiré sinon de l'amour, du moins cette pitié tendre qui parfois le précède et l'amène. À la longue peut-être, votre froideur se serait trouvée injuste, car rien ne m'eût
150 coûté pour la mettre dans son tort.

    — Si vous aviez employé ces moyens si honnêtes, dit Isabelle, j'aurais plaint un amour que je n'aurais pu partager, puisque mon cœur ne se donnera jamais, et, du moins, je n'eusse pas été contrainte de vous haïr, sentiment qui n'est
155 point fait pour mon âme, et qu'il lui est douloureux d'éprouver.

—Vous me détestez donc bien ? fit le duc de Vallombreuse avec un tremblement de dépit dans la voix. Je ne le mérite pas, cependant. Mes torts envers vous, si j'en ai, viennent de
160 ma passion même ; et quelle femme, pour chaste[1] et vertueuse qu'elle soit, en veut sérieusement à un galant homme de l'effet que ses charmes ont produit sur lui, malgré elle ?

— Certes, ce n'est point là un motif d'aversion[2] lorsque l'amant se tient dans les limites du respect et soupire avec
165 une timidité discrète. La plus prude[3] le peut supporter ; mais quand son impatience insolente se livre tout d'abord aux derniers excès et procède par le guet-apens, le rapt[4] et la séquestration[5], comme vous n'avez pas craint de le faire, il n'est pas d'autre sentiment possible qu'une invincible répu-
170 gnance. Toute âme un peu haute et fière se révolte quand on la prétend forcer. L'amour, qui est chose divine, ne se commande ni ne s'extorque[6]. Il souffle où il veut.

— Ainsi, une répugnance invincible, voilà tout ce que je puis attendre de vous, répondit Vallombreuse dont les joues
175 étaient devenues pâles et qui s'était mordu plus d'une fois les lèvres pendant qu'Isabelle lui parlait avec cette fermeté douce qui était le ton naturel de cette jeune personne aussi sage qu'aimable.

—Vous auriez un moyen de reconquérir mon estime et de
180 gagner mon amitié. Rendez-moi noblement la liberté que vous m'avez prise. Faites-moi reconduire par un carrosse à mes compagnons inquiets qui ne savent ce que je suis devenue et me cherchent éperdument, avec transes mortelles.

---

notes

1. chaste : pure.
2. aversion : haine, répulsion.

3. prude : pudique.
4. rapt : enlèvement.

5. séquestration : emprisonnement.
6. extorque : obtient par la ruse ou la violence.

Laissez-moi reprendre mon humble vie de comédienne
185 avant que cette aventure, dont mon honneur pourrait
souffrir, ne s'ébruite parmi le public étonné de mon absence.

– Quel malheur, s'écria le duc, que vous me demandiez
la seule chose que je ne saurais vous accorder sans me trahir
moi-même ! Que ne désirez-vous un empire, un trône, je
190 vous le donnerais ; une étoile, j'irais vous la chercher en escaladant le ciel. Mais vous voulez que je vous ouvre la porte
de cette cage où vous ne rentreriez jamais une fois sortie.
C'est impossible ! Je sais que vous m'aimez si peu que je n'ai
d'autre ressource pour vous voir que de vous enfermer.
195 Quoiqu'il en coûte à mon orgueil, je l'emploie ; car je ne
peux pas plus me passer de votre présence qu'une plante de
la lumière. Ma pensée se tourne vers vous comme vers son
soleil, et il fait nuit pour moi où vous n'êtes point. Si ce que
j'ai hasardé est un crime, il faut au moins que j'en profite, car
200 vous ne me le pardonneriez pas, quoique vous le disiez. Ici,
du moins, je vous tiens, je vous entoure, j'enveloppe votre
haine de mon amour, je souffle sur les glaçons de votre
froideur la chaude haleine de ma passion. Vos prunelles sont
forcées de refléter mon image, vos oreilles d'entendre le son
205 de ma voix. Quelque chose de moi s'insinue malgré vous
dans votre âme ; j'agis sur vous, ne fût-ce que par l'effroi que
je vous cause, et le bruit de mon pas dans l'antichambre vous
fait tressaillir. Et puis, cette captivité vous sépare de celui que
vous regrettez et que j'abhorre[1] pour avoir détourné ce
210 cœur qui eût été mien. Ma jalousie satisfaite se résout à ce
mince bonheur et ne veut point le jouer en vous rendant
cette liberté dont vous feriez usage contre moi.

note
1. abhorre : hais,
déteste fortement.

149

— Et jusques à quand, dit la jeune femme, avez-vous la prétention de me tenir en chartre[1] privée, non pas comme seigneur chrétien, mais comme corsaire barbaresque ?

— Jusqu'à ce que vous m'aimiez ou que vous me le disiez, ce qui revient au même », répondit le jeune duc avec un sérieux parfait et de l'air le plus convaincu du monde. Puis il fit à Isabelle le salut le plus gracieux et opéra une sortie pleine d'aisance, comme un véritable homme de cour qu'aucune situation n'embarrasse.

[Chiquita annonce à Isabelle que Sigognac, prévenu, est prêt à intervenir. Le soir, le duc de Vallombreuse revient voir Isabelle et tente de la convaincre de céder.]

« Faites un effort sur vous-même ; ne vous retournez pas vers une vie qui doit être désormais comme un songe oublié. Abandonnez ces obstinations de fidélité chimérique à un languissant amour indigne de vous, et songez qu'aux yeux du monde vous m'appartenez dès à présent. Songez surtout que je vous adore avec un emportement, une frénésie, un délire qu'aucune femme ne m'a jamais inspirés. N'essayez pas d'échapper à cette flamme qui vous enveloppe, à cette volonté inéluctable[2] que rien ne peut faire dévier. Comme un métal froid jeté dans un creuset[3] où bout déjà du métal en fusion, votre indifférence jetée dans ma passion y fondra en s'amalgamant avec elle. Quoi que vous fassiez, vous m'aimerez de gré ou de force, parce que je le veux, parce que vous êtes jeune et belle, et que je suis jeune

notes

1. chartre : couvent.
2. inéluctable : que l'on ne peut éviter.
3. creuset : petit récipient utilisé dans les laboratoires pour obtenir la fonte des matériaux.

et beau. Vous avez beau vous roidir[1] et vous débattre, vous n'ouvrirez pas les bras fermés sur vous. Donc, toute résistance aurait mauvaise grâce[2], puisqu'elle serait inutile. Résignez-vous en souriant ; est-ce donc un si grand 240 malheur, après tout, que d'être éperdument aimée du duc de Vallombreuse ! Ce malheur ferait la félicité de plus d'une. »

Pendant qu'il parlait avec cet entraînement chaleureux qui enivre la raison des femmes et fait céder leurs pudeurs, mais qui n'avait cette fois aucune action, Isabelle, attentive 245 à la moindre rumeur du dehors d'où lui devait venir la délivrance, croyait entendre un petit bruit presque imperceptible arrivant de l'autre bord du fossé. Il était sourd et rythmique comme le froissement d'un travail régulier dirigé avec précaution contre quelque obstacle. Craignant que 250 Vallombreuse ne le remarquât, la jeune femme répondit de manière à blesser la fatuité[3] orgueilleuse du jeune duc. Elle l'aimait mieux irrité qu'amoureux, et préférait ses éclats à ses tendresses. Elle espérait d'ailleurs, en le querellant, l'empêcher d'entendre.

255 « Cette félicité serait une honte à laquelle j'échapperais par la mort si je n'avais pas d'autre moyen. Vous n'aurez jamais de moi que mon cadavre. Vous m'étiez indifférent ; je vous hais pour votre conduite outrageuse, infâme et violente. Oui, j'aime Sigognac que vous avez essayé à plusieurs 260 reprises de faire assassiner. »

Le petit bruit continuait toujours, et Isabelle, ne ménageant plus rien, haussait la voix pour le couvrir.

À ces mots audacieux, Vallombreuse pâlit de rage, ses yeux lancèrent des regards vipérins[4] ; une légère écume moussa

---

notes

1. roidir : raidir.

2. aurait mauvaise grâce : serait mal venue.

3. fatuité : vanité, prétention.

4. vipérins : de vipère.

151

265 aux coins de ses lèvres ; il porta convulsivement la main à la garde de son épée. L'idée de tuer Isabelle lui avait traversé le cerveau comme un éclair ; mais par un prodigieux effort de volonté, il se contint et se mit à rire d'un rire strident et nerveux en s'avançant vers la jeune comédienne.

270 « De par tous les diables, s'écria-t-il, tu me plais ainsi ; quand tu m'injuries, tes yeux prennent un lumineux particulier, ton teint un éclat surnaturel ; tu redoubles de beauté. Ah ! tu aimes Sigognac ! tant mieux ! il ne m'en sera que plus doux de te posséder. Quel plaisir de baiser des lèvres qui 275 vous disent : "Je t'abhorre !" Cela a plus de ragoût que cet éternel et fade : "Je t'aime", dont les femmes vous écœurent. »

Effrayée de la résolution de Vallombreuse, Isabelle s'était levée et avait retiré de son corset le couteau de Chiquita.

« Bon ! fit le duc en voyant la jeune femme armée, déjà le 280 poignard au vent ! Si vous n'aviez oublié l'histoire romaine, vous sauriez, ma toute belle, que Mme Lucrèce[1] ne se servit de sa dague qu'après l'attentat de Sextus, fils de Tarquin le Superbe[2]. Cet exemple de l'Antiquité est bon à suivre. »

Et sans plus se soucier du couteau que d'un aiguillon 285 d'abeille, il s'avança vers Isabelle qu'il saisit entre ses bras avant qu'elle eût eu le temps de lever la lame.

Au même instant, un craquement se fit entendre, suivi bientôt d'un fracas horrible ; la fenêtre, comme si elle eût reçu par-dehors le coup de genou d'un géant, tomba avec 290 un tintamarre de carreaux pulvérisés dans la chambre, où pénétrèrent des masses de branches formant une sorte de catapulte chevelue et de pont volant.

notes

1. Lucrèce : femme romaine qui, violée par Sextus, se suicida.

2. Tarquin le Superbe : dernier roi légendaire de Rome (v. 534-509 av. J.-C.).

C'était la cime de l'arbre qui avait favorisé la sortie et la rentrée de Chiquita. Le tronc, scié par Sigognac et ses camarades, cédait aux lois de la pesanteur. Sa chute avait été dirigée de manière à jeter un trait d'union au-dessus de l'eau de la berge à la fenêtre d'Isabelle.

Vallombreuse, surpris de l'irruption soudaine de cet arbre se mêlant à une scène d'amour, lâcha la jeune actrice et mit l'épée à la main, prêt à recevoir le premier qui se présenterait à l'assaut.

Chiquita, qui était entrée sur la pointe du pied, légère comme une ombre, tira Isabelle par la manche, et lui dit : « Abrite-toi derrière ce meuble, la danse va commencer. »

La petite disait vrai ; deux ou trois coups de feu retentirent dans le silence de la nuit. La garnison avait éventé[1] l'attaque.

---

note

1. éventé : découvert.

Au fil du texte

QUE S'EST-IL PASSÉ ENTRE-TEMPS ?

1. Des titres énigmatiques : reliez comme il convient les indications de la colonne de gauche aux titres de la colonne de droite.

a) Chiquita. •

b) Une auberge peu recommandable. •

c) Là, il vaut mieux s'écarter des bretteurs. •

d) Grâce à lui, Vallombreuse triomphe. •

e) La botte de Pierre lui est utile. •

f) Il ne veut pas se charger de tuer le baron. •

• Chap. X : Une tête dans la lucarne.

• Chap. XI : Le Pont-Neuf.

• Chap. XII : Le « Radis couronné ».

• Chap. XIII : Double attaque.

• Chap. XIV : Les délicatesses de Lampourde.

• Chap. XV : Malartic à l'œuvre.

AVEZ-VOUS BIEN LU ?

2. Indiquez si les propositions suivantes sont vraies ou fausses.

	V	F
a) Chiquita explique à Isabelle que cette dernière peut s'évader.	☐	☐
b) La fillette montre à Isabelle le chemin à suivre.	☐	☐
c) Chiquita va prévenir Sigognac.	☐	☐
d) Isabelle aperçoit par la fenêtre le visage de Vallombreuse arrivant dans son carrosse.	☐	☐

e) Un majordome vient annoncer
à Isabelle la visite du duc. ☐ ☐

f) Lors de sa première visite à Isabelle,
Vallombreuse se montre courtois. ☐ ☐

ÉTUDIER LE VOCABULAIRE ET LA GRAMMAIRE (L. 1 À 84, PP. 142 À 145)

3. Relevez les indices de l'énonciation★
en les classant dans le tableau suivant.

Marques du locuteur★	Marques du destinataire★	Apostrophes	Indices spatiaux	Indices temporels

4. Quelle est la particularité de la dernière réplique de Chiquita sur le plan de l'énonciation ? Quel est l'effet produit ?

5. Quels sont les différents verbes introducteurs des répliques ? À quel temps sont-ils ? Pourquoi ?

6. Par quels procédés grammaticaux Gautier apporte-t-il des précisions dans la proposition incise★ ?

7. Relevez les termes qui se rapportent au château fort.

8. Quelle est la fonction du champ lexical★ relevé précédemment ?

9. Que peut-on déduire à propos de Chiquita de la proposition incise des lignes 8 à 11 ?

10. Quelles expressions, dans le passage, donnent l'impression que Chiquita possède des pouvoirs magiques ?

11. Comment voit-on que Chiquita fait preuve de qualités physiques et intellectuelles ?

énonciation : action de parler, de s'adresser à quelqu'un.

locuteur : personne qui parle.

destinataire : personne à qui l'on parle.

proposition incise : proposition comprenant au minimum un verbe de parole et son sujet inversé (ex. : dit-il) ; elle permet l'insertion de la réplique dans le récit.

champ lexical : ensemble des termes qui se rapportent à une même notion.

ÉTUDIER LE PERSONNAGE DE VALLOMBREUSE

12. En quoi l'entrée de Vallombreuse au château (l. 85 à 90) donne-t-elle au lecteur une image juste du personnage ?

13. Quel rôle joue le majordome dans la stratégie du duc de Vallombreuse ?

14. Que signifient les dernières paroles du duc lors de sa première visite (l. 216 à 217) ?

15. En quoi l'attitude du duc de Vallombreuse (l. 263 à 286) marque-t-elle un changement par rapport à la première visite ?

adjuvant :
élément ou personnage qui vient aider le héros.

ÉTUDIER LE ROMAN D'AVENTURES

16. Dans quelle mesure l'arbre joue-t-il le rôle d'un adjuvant* pour Isabelle ?

17. En quoi la fin du chapitre montre-t-elle que le roman a tout d'abord été publié en feuilleton ?

À VOS PLUMES !

18. Imaginez et racontez la scène au cours de laquelle Chiquita, évadée du château de Vallombreuse, retrouve le baron de Sigognac. Vous alternerez récit et dialogue.

19. Tandis que Vallombreuse rend visite pour la seconde fois à sa prisonnière, Sigognac et ses amis sont au pied du château et préparent l'attaque. Imaginez et racontez la scène.

Chapitre XVII

La bague d'améthyste

[Après un combat acharné, Sigognac triomphe de Vallombreuse et sauve Isabelle.]

Tout à coup, une impérieuse sonnerie de cor éclata dans le silence qui avait succédé au tumulte de la bataille. Au bout de quelques minutes elle se répéta avec une fureur stridente[1] et prolongée. C'était un appel de maître
5 auquel il fallait obéir. Des froissements de chaînes se firent entendre. Un bruit sourd indiqua l'abaissement du pont-levis ; un tourbillonnement de roues tonna sous la voûte, et aux fenêtres de l'escalier flamboyèrent subitement les lueurs rouges de torches disséminées[2] dans la
10 cour. La porte du vestibule[3] retomba bruyamment sur elle-même, et des pas hâtifs retentirent dans la cage sonore de l'escalier.

notes
_____

1. stridente : aiguë, perçante.   **2. disséminées :** dispersées.   **3. vestibule :** entrée.

**Après un combat acharné,
Sigognac triomphe de Vallombreuse…**

Bientôt parurent quatre laquais à grande livrée, portant des cires[1] allumées avec cet air impassible et cet empresse-
ment muet qu'ont les valets de noble maison. Derrière eux, montait un homme de haute mine, vêtu de la tête aux pieds d'un velours noir passementé[2] de jayet. Un ordre, de ceux que se réservent les rois et les princes, ou qu'ils n'accordent qu'aux plus illustres personnages, brillait à sa poitrine sur le fond sombre de l'étoffe. Arrivés au palier, les laquais se rangèrent contre le mur, comme des statues portant au poing des torches, sans qu'aucune palpitation de paupière, sans qu'un tressaillement de muscles indiquât, en aucune façon, qu'ils aperçussent le spectacle assez singulier pourtant qu'ils avaient sous les yeux. Le maître n'ayant point encore parlé, ils ne devaient pas avoir d'opinion.

Le seigneur vêtu de noir s'arrêta sur le palier. Bien que l'âge eût mis des rides à son front et à ses joues, jauni son teint et blanchi son poil, on pouvait encore reconnaître en lui l'original du portrait qui avait attiré les regards d'Isabelle en sa détresse, et qu'elle avait imploré comme une figure amie. C'était le prince père de Vallombreuse. Le fils portait le nom d'un duché, en attendant que l'ordre naturel des successions le rendît à son tour chef de famille.

À l'aspect d'Isabelle, que soutenaient Hérode et Sigognac, et à qui sa pâleur exsangue donnait l'air d'une morte, le prince leva les bras au ciel en poussant un soupir. « Je suis arrivé trop tard, dit-il, quelque diligence que j'aie faite », et il se baissa vers la jeune comédienne, dont il prit la main inerte.

notes
1. **cires :** cierges, bougies.
2. **passementé :** décoré d'un galon.

159

À cette main blanche comme si elle eût été sculptée dans l'albâtre, brillait au doigt annulaire une bague, dont une améthyste assez grosse formait le chaton[1]. Le vieux seigneur parut étrangement troublé à la vue de cette bague. Il la tira
45 du doigt d'Isabelle avec un tremblement convulsif, fit signe à un des laquais porteurs de torche de s'approcher, et à la lueur plus vive de la cire déchiffra le blason gravé sur la pierre, mettant l'anneau tout près de la clarté et l'éloignant ensuite pour en mieux saisir les détails avec sa vue de vieillard.

50 Sigognac, Hérode et Lampourde suivaient anxieusement les gestes égarés du prince, et ses changements de physionomie à la vue de ce bijou qu'il paraissait bien connaître, et qu'il tournait et retournait entre ses mains, comme ne pouvant se décider à admettre une idée pénible.

55 « Où est Vallombreuse, s'écria-t-il enfin d'une voix tonnante, où est ce monstre indigne de ma race ? »

Il avait reconnu, à n'en pouvoir douter, dans cette bague, l'anneau orné d'un blason de fantaisie avec lequel il scellait[2] jadis les billets[3] qu'il écrivait à Cornélia mère d'Isabelle.
60 Comment cet anneau se trouvait-il au doigt de cette jeune actrice enlevée par Vallombreuse et de qui le tenait-elle ? « Serait-elle la fille de Cornélia, se disait le prince, et la mienne ? Cette profession de comédienne qu'elle exerce, son âge, sa figure où se retrouvent quelques traits adoucis de sa mère,
65 tout concorde à me le faire croire. Alors, c'est sa sœur que poursuivait ce damné[4] libertin[5] ; cet amour est un inceste[6] ; oh ! je suis cruellement puni d'une faute ancienne. »

notes

1. chaton : partie centrale d'une bague.
2. scellait : fermait par un sceau, c'est-à-dire un cachet de cire.
3. billets : messages.
4. damné : maudit.
5. libertin : ici, personne qui mène une vie dissolue.
6. inceste : relation sexuelle entre deux personnes de la même parenté.

Isabelle ouvrit enfin les yeux, et son premier regard rencontra le prince tenant la bague qu'il lui avait ôtée du doigt.
Il lui sembla avoir déjà vu cette figure, mais jeune encore, sans cheveux blancs ni barbe grise. On eût dit la copie vieillie du portrait placé au-dessus de la cheminée. Un sentiment de vénération profonde envahit à son aspect le cœur d'Isabelle. Elle vit aussi près d'elle le brave Sigognac et le bon Hérode, tous deux sains et saufs, et aux transes de la lutte succéda la sécurité de la délivrance. Elle n'avait plus rien à craindre ni pour ses amis, ni pour elle. Se soulevant à demi, elle inclina la tête devant le prince, qui la contemplait avec une attention passionnée, et paraissait chercher dans les traits de la jeune fille une ressemblance à un type autrefois chéri.

« De qui, mademoiselle, tenez-vous cet anneau qui me rappelle certains souvenirs ; l'avez-vous depuis longtemps en votre possession ? dit le vieux seigneur d'une voix émue.

— Je le possède depuis mon enfance, et c'est l'unique héritage que j'aie recueilli de ma mère, répondit Isabelle.

— Et qui était votre mère, que faisait-elle ? dit le prince avec un redoublement d'intérêt.

— Elle s'appelait Cornélia, repartit modestement Isabelle, et c'était une pauvre comédienne de province qui jouait les reines et les princesses tragiques dans la troupe dont je fais partie encore.

— Cornélia ! Plus de doute, fit le prince troublé, oui, c'est bien elle ; mais, dominant son émotion, il reprit un air majestueux et calme, et dit à Isabelle : Permettez-moi de garder cet anneau. Je vous le remettrai quand il faudra.

— Il est bien entre les mains de Votre Seigneurie, répondit la jeune comédienne, en qui, à travers les brumeux souvenirs de l'enfance, s'ébauchait le souvenir d'une figure que, toute petite, elle avait vue se pencher vers son berceau.

100 — Messieurs, dit le prince, fixant son regard ferme et clair sur Sigognac et ses compagnons, en toute autre circonstance je pourrais trouver étrange votre présence armée dans mon château, mais je sais le motif qui vous a fait envahir cette demeure jusqu'à présent sacrée. La violence appelle la
105 violence, et la justifie. Je fermerai les yeux sur ce qui vient d'arriver. Mais où est le duc de Vallombreuse, ce fils dégénéré qui déshonore ma vieillesse ? »

Comme s'il eût répondu à l'appel de son père, Vallombreuse, au même instant, parut sur le seuil de la salle,
110 soutenu par Malartic ; il était affreusement pâle, et sa main crispée serrait un mouchoir contre sa poitrine. Il marchait cependant, mais comme marchent les spectres, sans soulever les pieds. Une volonté terrible, dont l'effort donnait à ses traits l'immobilité d'un masque en marbre, le tenait seule debout. Il
115 avait entendu la voix de son père, que, tout dépravé qu'il fût, il redoutait encore, et il espérait lui cacher sa blessure. Il mordait ses lèvres pour ne pas crier, et ravalait l'écume sanglante qui lui montait aux coins de la bouche ; il ôta même son chapeau, malgré la douleur atroce que lui causait le mouve-
120 ment de lever le bras, et resta ainsi découvert et silencieux.

« Monsieur, dit le prince, vos équipées[1] dépassent les bornes, et vos déportements[2] sont tels, que je serai forcé d'implorer du roi, pour vous, la faveur d'un cachot ou d'un exil perpétuels. Le rapt, la séquestration, le viol ne sont plus
125 de la galanterie, et si je peux passer quelque chose aux égarements d'une jeunesse licencieuse[3], je n'excuserai jamais le crime froidement médité. Savez-vous, continua-t-il en s'approchant de Vallombreuse et lui parlant à l'oreille de

---

notes

1. équipées : aventures, entreprises.

2. déportements : mauvais comportements.

3. licencieuse : vouée aux plaisirs.

façon à n'être entendu de personne, savez-vous quelle est
130 cette jeune fille, cette Isabelle que vous avez enlevée en dépit
de sa vertueuse résistance ? – votre sœur !

– Puisse-t-elle remplacer le fils que vous allez perdre,
répondit Vallombreuse, pris d'une défaillance qui fit apparaître sur son visage livide les sueurs de l'agonie ; mais je ne
135 suis pas coupable comme vous le pensez. Isabelle est pure, je
l'atteste sur le Dieu devant qui je vais paraître. La mort n'a
pas l'habitude de mentir, et l'on peut croire à la parole d'un
gentilhomme expirant. »

Cette phrase fut prononcée d'une voix assez haute pour
140 être entendue de tous. Isabelle tourna ses beaux yeux humides
de larmes vers Sigognac, et vit sur la figure de ce parfait amant
qu'il n'avait pas attendu, pour croire à la vertu de celle qu'il
aimait, l'attestation *in extremis*[1] de Vallombreuse.

« Mais qu'avez-vous donc ? dit le prince en étendant la
145 main vers le jeune duc qui chancelait malgré le soutien de
Malartic.

– Rien, mon père, répondit Vallombreuse d'une voix à
peine articulée…, rien… Je meurs ; et il tomba tout d'une
pièce sur les dalles du palier sans que Malartic pût le retenir.

150 – Il n'est pas tombé sur le nez, dit sentencieusement
Jacquemin Lampourde, ce n'est qu'une pâmoison[2] ; il en
peut réchapper encore. Nous connaissons ces choses-là, nous
autres hommes d'épée, mieux que les hommes de lancette et
les apothicaires.

155 – Un médecin ! un médecin ! s'écria le prince, oubliant
son ressentiment[3] à ce spectacle ; peut-être y a-t-il encore
quelque espoir. Une fortune à qui sauvera mon fils, le

---

notes

1. in extremis : en latin,
« au dernier moment ».

2. pâmoison :
évanouissement.

3. ressentiment : colère,
rancune.

dernier rejeton d'une noble race ! Mais allez donc ! que faites-vous là ? courez, précipitez-vous ! »

[Sigognac, persuadé d'avoir tué le frère d'Isabelle, quitte le château. La jeune fille, elle, reste auprès de son père. Tandis que les médecins espèrent sauver le duc, elle regagne sa chambre où Chiquita vient la rejoindre.]

160 « Que veux-tu, ma chère enfant ? lui dit Isabelle de sa voix la plus douce, tu n'es donc pas partie avec les autres ? si tu désires rester près de moi, je te garderai, car tu m'as rendu bien des services.

— Je t'aime beaucoup, répondit Chiquita ; mais je ne puis
165 rester avec toi tant qu'Agostin vivra. Les lames d'Albacète[1] disent : "*Soy de un dueño*", ce qui signifie : "Je n'ai qu'un maître", une belle parole digne de l'acier fidèle. Pourtant j'ai un désir. Si tu trouves que j'ai payé le collier de perles, embrasse-moi. Je n'ai jamais été embrassée. Cela doit être
170 si bon !

— Oh ! de tout mon cœur ! fit Isabelle en prenant la tête de l'enfant et en baisant ses joues brunes, qui se couvrirent de rougeur tant son émotion était forte.

— Maintenant, adieu ! » dit Chiquita, qui avait repris son
175 calme habituel.

Elle allait se retirer comme elle était venue, lorsqu'elle avisa sur la table le couteau dont elle avait enseigné le maniement à la jeune comédienne pour se défendre contre les entreprises de Vallombreuse, et elle dit à Isabelle :
180 « Rends-moi mon couteau, tu n'en as plus besoin. »
Et elle disparut.

note
_____

1. Albacète : ville d'Espagne.

Chapitre XVIII

En famille

[Le duc de Vallombreuse se rétablit et Isabelle lui tient compagnie en lui faisant la lecture. La jeune fille repousse les prétendants dont lui parle son frère et dit ne pas vouloir se marier.]

Orties et toiles d'araignée

[Sigognac a regagné son château.]

Le temps qui, à Paris, avait coulé si vite et si chargé d'événements, semblait s'être arrêté au château de Sigognac. Les heures endormies ne s'étaient pas donné la peine de retourner leur sablier plein de poussière.

5 Tout était à la même place. Les araignées sommeillaient toujours aux encoignures[1] dans leur hamac grisâtre, attendant la venue de quelque mouche improbable. Quelques-unes même s'étaient découragées et n'avaient point raccommodé leurs toiles, n'ayant plus assez de

10 substance pour tirer du fil de leur ventre ; sur la cendre

blanche de l'âtre un charbon qui paraissait ne pas avoir brûlé depuis le départ du baron dégageait une petite fumée grêle[1] comme celle d'une pipe près de s'éteindre ; seulement les orties et les ciguës avaient grandi dans la cour, l'herbe qui
15 encadrait les pavés était plus haute, une branche d'arbre, n'arrivant jadis qu'à la fenêtre de la cuisine, y poussait maintenant un jet feuillu par la maille d'un carreau cassé. C'était tout ce qu'il y avait de nouveau.

Malgré lui, Sigognac se sentait repris par ce milieu. Ses
20 anciennes pensées lui revenaient en foule ; et il se perdait en des rêveries silencieuses que respectait Pierre et que n'osaient troubler Miraut et Béelzébuth par des caresses intempestives[2]. Tout ce qui s'était passé ne lui faisait plus l'effet que d'aventures qu'il aurait lues dans un livre et dont
25 le souvenir lui serait vaguement resté. Le capitaine Fracasse, déjà effacé à demi, ne lui apparaissait plus dans le lointain que comme un pâle spectre émané et détaché à tout jamais de lui-même.

[...]

Deux ou trois mois se passèrent ainsi, et Sigognac était
30 en sa chambre cherchant la pointe finale d'un sonnet[3] à la louange de son aimée, lorsque Pierre vint annoncer à son maître qu'un gentilhomme était là qui demandait à lui parler.

« Un gentilhomme qui veut me parler ? fit Sigognac, tu rêves ou il se trompe ! Personne au monde n'a rien à me
35 dire ; cependant, pour la rareté du fait, introduis ce mortel singulier. Quel est son nom, du moins ?

notes

1. grêle : très légère.   **2. intempestives :** malvenues.   **3. sonnet :** poème de quatorze vers.

– Il n'a pas voulu le décliner, prétendant que ce nom ne vous apprendrait rien », répondit Pierre en ouvrant la porte à deux battants.

40 Sur le seuil apparut un beau jeune homme, vêtu d'un élégant costume de cheval en drap couleur noisette, agrémenté de vert, chaussé de bottes en feutre gris aux éperons d'argent, et tenant en main un chapeau à larges bords orné d'une longue plume verte, ce qui permettait de voir en pleine lumière sa tête

45 fière, délicate et charmante dont plus d'une femme eût jalousé les traits corrects dignes d'une statue antique.

Ce cavalier accompli ne parut pas faire sur Sigognac une impression agréable, car il pâlit légèrement, et d'un bond courut à son épée suspendue au chevet du lit, la tira du four-

50 reau et se mit en garde.

« Pardieu ! monsieur le duc, je croyais vous avoir bien tué ! Est-ce vous ou votre ombre qui m'apparaissez ainsi ?

– C'est moi-même, Hannibal de Vallombreuse, répondit le jeune duc, moi-même en chair et en os, aussi peu décédé

55 que possible ; mais rengainez au plus tôt cette rapière. Nous nous sommes déjà battus deux fois. C'est assez. Le proverbe dit que les choses répétées plaisent[1], mais qu'à la troisième redite elles deviennent fastidieuses[2]. Je ne viens pas en ennemi. Si j'ai quelques petites peccadilles[3] à me reprocher

60 à votre endroit, vous avez bien pris votre revanche. Partant nous sommes quittes. Pour vous prouver mes bonnes intentions, voilà un brevet signé du roi qui vous donne un régiment. Mon père et moi avons fait souvenir Sa Majesté de l'attachement des Sigognac aux rois ses aïeux. J'ai voulu vous

---

notes

1. les choses répétées plaisent : *bis repetita placent,* proverbe latin.

2. fastidieuses : ennuyeuses car monotones.

3. peccadilles : choses sans importance.

65 apporter en personne cette nouvelle favorable ; et maintenant, car je suis votre hôte, faites tordre le col à n'importe
quoi, mettez à la broche qui vous voudrez ; mais, pour Dieu,
donnez-moi à manger. Les auberges de cette route sont
désastreuses, et mes fourgons, ensablés à quelque distance
70 d'ici, contiennent mes provisions de bouche.

– J'ai bien peur, monsieur le duc, que mon dîner ne vous
paraisse une vengeance, répondit Sigognac avec une courtoisie enjouée ; mais n'attribuez pas à la rancune la pauvre
chère[1] que vous ferez. Vos procédés francs et cordiaux me
75 touchent au plus tendre de l'âme, et vous n'aurez pas désormais d'ami plus dévoué que moi. Bien que vous n'ayez guère
besoin de mes services, ils vous sont tout acquis. Holà ! Pierre,
trouve des poulets, des œufs, de la viande, et tâche à régaler
de ton mieux ce seigneur qui meurt de faim et n'en a pas
80 l'habitude comme nous. »

Pierre mit en poche quelques-unes des pistoles envoyées
par son maître et qu'il n'avait pas touchées encore, enfourcha le bidet et courut bride abattue au village le plus proche,
en quête de provisions. Il trouva quelques poulets, un jam-
85 bon, une fiasque[2] de vin vieux, et chez le curé de l'endroit,
qu'il détermina non sans peine à le lui céder, un pâté de foies
de canard, friandise digne de figurer sur la table d'un évêque
ou d'un prince.

Au bout d'une heure il fut de retour, confia le soin de
90 tourner la broche à une grande fille hâve et déguenillée qu'il
avait rencontrée sur la route et envoyée au château, et mit
le couvert dans la salle aux portraits, en choisissant parmi

___

notes

1. pauvre chère : mauvais
repas.

2. fiasque : bouteille
ventrue à long col.

les faïences des dressoirs[1] celles qui n'avaient qu'une écornure ou qu'une étoile, car il ne fallait point penser à l'argenterie, la dernière pièce ayant été depuis longtemps fondue[2]. Cela fait, il vint annoncer à son maître « que ces messieurs étaient servis ».

Vallombreuse et Sigognac s'assirent en face l'un de l'autre sur les moins boiteuses des six chaises, et le jeune duc, que cette situation nouvelle pour lui égayait, attaqua les mets réunis à grand-peine par Pierre, avec une amusante férocité d'appétit. Ses belles dents blanches, après avoir dévoré un poulet tout entier, lequel, il est vrai, semblait mort d'étisie[3], s'enfonçaient joyeusement dans la tranche rose d'un jambon de Bayonne, et faisaient, comme on dit, sauter les miettes au plafond. Il proclama les foies de canard une nourriture délicate, exquise, ambroisienne[4], et trouva que ce petit fromage de chèvre, jaspé[5] et persillé de vert, était un excellent éperon à boire. Il loua aussi le vin, lequel était vieux et de bon cru, et dont la belle couleur rougissait comme pourpre dans les anciens verres de Venise. Une fois même, tant il était de bonne humeur, il faillit éclater de rire, à l'air effaré de Pierre, surpris d'avoir entendu son maître appeler « M. le duc de Vallombreuse » ce vivant réputé pour mort. Tout en tenant tête du mieux qu'il pouvait au jeune duc, Sigognac s'étonnait de voir chez lui, familièrement accoudé à sa table, cet élégant et fier seigneur, jadis son rival d'amour, qu'il avait tenu deux fois au bout de son épée, et qui avait essayé à plusieurs reprises de le faire dépêcher[6] par des spadassins.

---

notes

1. dressoirs : meubles dans lesquels on range la vaisselle.

2. fondue : fondue pour récupérer l'argent.

3. étisie : grande maigreur.

4. ambroisienne : digne des dieux (l'ambroisie est la nourriture des dieux dans l'Antiquité).

5. jaspé : bigarré comme du jaspe, pierre colorée par bandes ou par taches.

6. dépêcher : tuer.

120   Le duc de Vallombreuse comprit la pensée du baron sans que celui-ci l'exprimât, et quand le vieux serviteur se fut retiré, posant sur la table un flacon de vin généreux et deux verres plus petits que les autres, pour humer la précieuse liqueur, il fila entre ses doigts le bout de sa fine moustache, 125 et dit au baron avec une amicale franchise :

    « Je vois bien, mon cher Sigognac, malgré toute votre politesse, que ma démarche vous semble un peu étrange et subite. Vous vous dites : "Comment se fait-il que ce Vallombreuse, si hautain, si arrogant, si impérieux, soit devenu, de 130 tigre qu'il était, un agneau qu'une bergerette[1] conduirait au bout d'un ruban ?" Pendant les six semaines que je suis resté cloué au lit, j'ai fait quelques réflexions comme le plus brave en peut se permettre en face de l'éternité ; car la mort n'est rien pour nous autres, gentilshommes, qui prodiguons notre 135 vie avec une élégance que les bourgeois n'imiteront jamais. J'ai senti la frivolité de bien des choses, et me suis promis, si j'en revenais, de me conduire autrement. L'amour que m'inspirait Isabelle changé en pure et sainte amitié, je n'avais plus de raisons de vous haïr. Vous n'étiez plus mon rival. Un 140 frère ne saurait être jaloux de sa sœur ; je vous sus gré de la tendresse respectueuse que vous n'aviez cessé de lui témoigner quand elle se trouvait encore dans une condition qui autorise les licences. Vous avez le premier deviné cette âme charmante sous son déguisement de comédienne. Pauvre, 145 vous avez offert à la femme méprisée la plus grande richesse que puisse posséder un noble, le nom de ses aïeux. Elle vous appartient donc, maintenant qu'elle est illustre et riche. L'amant[2] d'Isabelle doit être le mari de la comtesse de Lineuil.

notes
_____

1. bergerette : petite bergère.   **2. amant :** amoureux.

— Mais, répondit Sigognac, elle m'a toujours obstinément refusé lorsqu'elle pouvait croire à mon absolu désintéressement[1].

— Délicatesse suprême, susceptibilité angélique, pur esprit de sacrifice, elle craignait d'entraver votre sort et de nuire à votre fortune ; mais cette reconnaissance a renversé la situation.

— Oui, c'est moi qui maintenant serais un obstacle à sa haute position. Ai-je le droit d'être moins dévoué qu'elle ?

— Aimez-vous toujours ma sœur ? dit le duc de Vallombreuse d'un ton grave ; j'ai, comme frère, le droit de vous adresser cette question.

— De toute mon âme, de tout mon cœur, de tout mon sang, répondit Sigognac ; autant et plus que jamais homme ait aimé une femme sur cette terre, où rien n'est parfait, sinon Isabelle.

— En ce cas, monsieur le capitaine de mousquetaires, bientôt gouverneur de province, faites seller votre cheval et venez avec moi à Vallombreuse pour que je vous présente dans les formes au prince mon père et à la comtesse de Lineuil ma sœur. Isabelle a refusé pour époux le chevalier de Vidalinc, le marquis de l'Estang, deux fort beaux jeunes gens, ma foi ; mais je crois que, sans se faire trop prier, elle acceptera le baron de Sigognac. »

Le lendemain, le duc et le baron cheminaient botte à botte sur la route de Paris.

note
------
1. désintéressement : fait de ne pas chercher à tirer profit d'une situation.

Déclaration d'amour de Chiquita

[À Paris, une foule rassemblée sur la place de Grève, sur laquelle ont lieu les supplices et exécutions, attend la charrette qui amène Agostin.]

La charrette, pendant ces courts dialogues, était arrivée aux pieds de l'échafaud, dont Agostin monta lentement les degrés, précédé du valet, soutenu du capucin[1] et suivi du bourreau. En moins d'une minute il fut étalé et
5 lié solidement sur la roue[2] par les aides de l'exécuteur. Le bourreau, ayant jeté son manteau rouge brodé à l'épaule d'une échelle en galon blanc, avait tourné sa manche en bourrelet autour de son bras, pour être plus libre et dégagé, et se baissait pour prendre la barre fatale.

notes

1. capucin : religieux d'une branche de l'ordre des franciscains.

2. roue : instrument de supplice qui provoque une mort par écartèlement.

C'était l'instant suprême. Une curiosité anxieuse opprimait les poitrines des spectateurs. Lampourde et Malartic étaient devenus sérieux ; Bringuenarilles lui-même n'aspirait plus la fumée de sa pipe, qu'il avait ôtée de ses lèvres. Tordgueule, sentant qu'une aventure semblable lui pendait à l'oreille, prenait un air mélancolique et rêveur. Tout à coup un certain frémissement eut lieu parmi la foule. L'enfant hissé sur la croix s'était laissé couler à terre, et, se faufilant comme une couleuvre à travers les groupes, avait atteint l'échafaud, dont en deux bonds elle escaladait les marches, présentant au bourreau étonné, qui levait déjà sa masse, une figure pâle, étincelante, sublime, illuminée d'une telle résolution, qu'il s'arrêta malgré lui et retint le coup prêt à descendre.

« Ôte-toi de là, môme, s'écria le bourreau, ou ma barre va te briser la tête. »

Mais Chiquita ne l'écoutait point. Il lui était bien égal d'être tuée. Se penchant sur Agostin, elle le baisa au front et lui dit : « Je t'aime » ; puis, d'un mouvement plus prompt que l'éclair, elle lui plongea dans le cœur la navaja qu'elle avait reprise à Isabelle. Le coup était porté d'une main si ferme que la mort fut presque instantanée ; à peine Agostin eut-il le temps de dire : « Merci. »

« CUANDO ESTA VIVORA PICA,

NO HAY REMEDIO EN LA BOTICA »[1],

---

note

1. « **Cuando esta vivora pica/no hay remedio en la botica** » : Quand cette vipère vous pique/ pas de remède en la boutique (chap. X, p. 115).

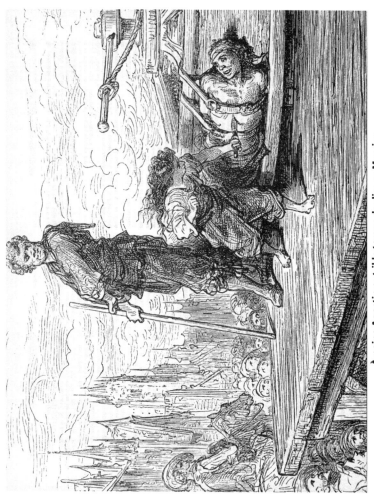

À peine Agostin eut-il le temps de dire : « Merci. »

35 murmura l'enfant avec un éclat de rire sauvage et fou, en se précipitant à bas de l'échafaud, où l'exécuteur, stupéfait de l'aventure, abaissait sa barre inutile, incertain s'il devait briser les os d'un cadavre.

« Bien, Chiquita, très bien ! » ne put s'empêcher de crier
40 Malartic, qui l'avait reconnue sous ses habits de garçon.

Lampourde, Bringuenarilles, Piedgris, Tordgueule et les amis du *Radis couronné*, émerveillés de cette action, s'arrangèrent en haie compacte, de façon à empêcher les soldats de courir après Chiquita. Les disputes et les poussées, mêlées de
45 horions[1], que fit naître cet embarras factice, donnèrent le temps à la petite de gagner le carrosse de Vallombreuse, arrêté au coin de la place. Elle grimpa sur le marchepied, et, s'accrochant des mains à la portière, elle reconnut Sigognac et lui dit d'une voix haletante : « J'ai sauvé Isabelle, sauve-
50 moi. »

Vallombreuse, que cette scène bizarre avait fort intéressé, cria au cocher : « À fond de train et passe, s'il le faut, sur le ventre de cette canaille. » Mais le cocher n'eut besoin d'écraser personne. La foule s'ouvrait avec empressement
55 devant le carrosse et se refermait aussitôt pour arrêter la molle poursuite des soudards[2]. En quelques minutes, le carrosse eut atteint la porte Saint-Antoine, et, comme le bruit d'une aventure si récente ne pouvait être parvenu jusque-là, Vallombreuse ordonna au cocher de modérer son allure,
60 d'autant qu'un équipage, fuyant de cette vitesse, eût semblé, à bon droit, suspect. Le faubourg[3] dépassé, il fit entrer Chiquita dans la voiture. Elle s'assit, sans mot dire, sur un

---

notes

1. **horions :** coups violents.   3. **faubourg :** banlieue.
2. **soudards :** soldats.

carreau[1], en face de Sigognac. Sous l'apparence la plus calme, elle était en proie à une exaltation extrême. Aucun muscle de sa figure ne bougeait, mais un flot de sang empourprait ses joues, ordinairement si pâles, et donnait à ses grands yeux fixes, qui regardaient sans voir, un éclat surnaturel. Une sorte de transfiguration s'était opérée dans Chiquita. Cet effort violent avait déchiré la chrysalide[2] enfantine où dormait la jeune fille. En plongeant son couteau dans le cœur d'Agostin, elle avait du même coup ouvert le sien. Son amour était né de ce meurtre ; l'être bizarre, presque insexuel[3], moitié enfant, moitié lutin, qu'elle avait été jusque-là, n'existait plus. Elle était femme désormais, et sa passion éclose en une minute devait être éternelle. Un baiser, un coup de couteau, c'était bien l'amour de Chiquita.

La voiture roulait toujours, et l'on voyait déjà poindre derrière les arbres les grands toits ardoisés du château. Vallombreuse dit à Sigognac : « Vous viendrez dans mon appartement, et vous y ferez un bout de toilette avant que je vous présente à ma sœur, qui ignore mon voyage et votre arrivée ; j'ai ménagé ce coup de théâtre dont j'espère le meilleur effet. Abaissez le mantelet[4] de votre côté pour qu'on ne vous voie pas, que la surprise soit complète ; mais qu'allons-nous faire de ce petit démon ?

– Ordonnez, dit Chiquita, qui, à travers sa rêverie profonde, avait entendu la phrase de Vallombreuse, ordonnez qu'on me conduise à Mme Isabelle ; qu'elle soit l'arbitre de mon sort. »

notes

1. carreau : coussin carré.

2. chrysalide : stade entre la chenille et le papillon ; ici, cocon.

3. insexuel : asexué.

4. mantelet : ici, rideau de cuir.

90 Rideaux baissés, le carrosse entra dans la cour d'honneur : Vallombreuse prit Sigognac sous le bras et l'emmena dans son appartement, après avoir dit à un laquais de conduire Chiquita chez la comtesse de Lineuil.

À la vue de Chiquita, Isabelle posa le livre qu'elle était 95 en train de lire et arrêta sur la jeune fille un regard plein d'interrogations.

Chiquita resta immobile et silencieuse jusqu'à ce que le laquais fût retiré. Alors, avec une sorte de solennité singulière, elle s'avança vers Isabelle, lui prit la main et dit :

100 « Le couteau est dans le cœur d'Agostin, je n'ai plus de maître, et je sens le besoin de me dévouer à quelqu'un. Après lui, qui est mort, c'est toi que j'aime le plus au monde ; tu m'as donné le collier de perles et tu m'as embrassée. Veux-tu de moi pour esclave, pour chien, pour gnome[1] ? Fais-moi 105 donner un haillon noir pour porter le deuil de mon amour ; je coucherai en travers sur le seuil de ta porte ; cela ne te gênera pas du tout. Quand tu me voudras, tu siffleras ainsi – et elle siffla – et je paraîtrai tout de suite ; veux-tu ? »

Isabelle, pour toute réponse, attira Chiquita sur son cœur, 110 lui effleura le front des lèvres et accepta simplement cette âme qui se donnait à elle.

note
_____

1. *gnome* : ici, petit génie difforme.

Chapitre XXI

Hymen, ô Hyménée !

[Le duc de Vallombreuse, de retour au château familial, retrouve Isabelle et aborde la question du mariage.]

« Puisque vous n'avez pas voulu du chevalier de Vidalinc ni du marquis de l'Estang, je me suis mis en quête, et, dans mes voyages, j'ai trouvé votre affaire : un mari charmant, parfait, idéal, dont vous raffolerez, j'en suis sûr.

– C'est une cruauté, Vallombreuse, de me persécuter de ces plaisanteries. Vous n'ignorez pas, méchant frère, que je ne veux point me marier ; je ne saurais donner ma main sans mon cœur, et mon cœur n'est plus à moi.

– Vous changerez de langage quand je vous présenterai l'époux que je vous ai choisi.

– Jamais, jamais, répondit Isabelle d'une voix altérée par l'émotion ; je serai fidèle à un souvenir bien cher, car je ne pense pas que votre intention soit de forcer ma volonté.

– Oh ! non, je ne suis pas tyrannique à ce point ; je vous demande seulement de ne pas repousser mon protégé avant de l'avoir vu. »

Sans attendre le consentement de sa sœur, Vallombreuse se leva et passa dans le salon voisin. Il en revint aussitôt amenant Sigognac, à qui le cœur battait bien fort. Les deux jeunes gens, se tenant par la main, restèrent quelque temps arrêtés sur le seuil, espérant qu'Isabelle tournerait les yeux de leur côté, mais elle les baissait modestement, regardant la pointe de son corsage et pensant à cet ami qu'elle ne soupçonnait pas si près d'elle.

Vallombreuse, voyant qu'elle ne prenait point garde à eux et retombait dans sa rêverie, avança de quelques pas vers sa sœur, conduisant le baron par le bout des doigts comme on mène une dame à la danse, et fit un salut cérémonieux que répéta Sigognac. Seulement Vallombreuse souriait et Sigognac pâlissait. Brave avec les hommes, il était timide avec les femmes, comme tous les cœurs généreux.

« Comtesse de Lineuil, dit Vallombreuse d'un ton légèrement emphatique[1] et comme outrant[2] à dessein l'étiquette, permettez-moi de vous présenter un de mes bons amis que vous accueillerez favorablement, je l'espère : le baron de Sigognac. »

À ce nom, qu'elle prit d'abord pour une raillerie de son frère, Isabelle tressaillit pourtant et jeta un coup d'œil rapide au nouveau venu. Reconnaissant que Vallombreuse ne la trompait point, elle ressentit une émotion extraordinaire. D'abord elle devint toute blanche, le sang affluant au cœur ; puis, la réaction se faisant, une rougeur aimable lui couvrit comme un nuage rose le front, les joues, et ce qu'on

notes

1. emphatique : exagéré.   **2. outrant :** exagérant.

entrevoyait de son sein sous la gorgerette. Sans dire un mot, elle se leva et se jeta au col de Vallombreuse, cachant sa tête contre l'épaule du jeune duc. Deux ou trois sanglots agitèrent le gracieux corps de la jeune fille, et quelques larmes mouillè-
50 rent le velours du pourpoint à la place où elle appuyait la tête. Par ce joli mouvement, si pudique et si féminin, Isabelle montrait toute la délicatesse de son âme. Elle remerciait Vallombreuse, dont elle avait compris l'ingénieuse bonté, et, ne pouvant embrasser son amant, elle embrassait son frère.

55 Quand il pensa qu'elle avait eu le temps de se calmer, Vallombreuse se dégagea doucement de l'étreinte d'Isabelle, et, lui écartant les mains dont elle se voilait le visage pour cacher ses pleurs, il lui dit : « Chère sœur, laissez-nous un peu voir votre figure charmante, ou mon protégé croira que vous
60 avez pour lui une insurmontable horreur. »

Isabelle obéit et tourna vers Sigognac ses beaux yeux éclairés d'une joie céleste, malgré les perles brillantes qui trem-blaient encore à ses longs cils : elle lui tendit sa belle main, sur laquelle le baron, s'inclinant, appuya le baiser le plus tendre. La
65 sensation en monta jusqu'au cœur de la jeune fille, qui man-qua défaillir ; mais on se remet vite de ces émotions délicieuses.

« Eh bien, n'avais-je pas raison, dit Vallombreuse, de soutenir que vous recevriez bien le prétendu de mon choix ? Cela est bon quelquefois de s'opiniâtrer[1] en sa fantaisie. Si je
70 ne m'étais montré aussi entêté que vous étiez résolue, le cher Sigognac serait reparti pour sa gentilhommière sans vous avoir vue, et c'eût été dommage ; convenez-en. »

[Vallombreuse introduit ensuite Sigognac auprès de son père. Le prince accepte le mariage.]

note
────────────

1. s'opiniâtrer : insister, persévérer.

Chapitre XXII

Le château du bonheur
Épilogue

[En se cachant du baron dont elle est devenue la femme, Isabelle, aidée de Vallombreuse, dirige la restauration du château de Sigognac. Elle propose à son mari de retrouver son « pauvre castel ».]

Au lieu de la triste masure dont on se rappelle la description lamentable, s'élevait, sous un gai rayon de soleil, un château tout neuf ressemblant à l'ancien comme un fils ressemble à son père. Cependant rien
5 n'avait été changé dans sa forme. Il présentait toujours la même disposition architecturale ; seulement, en quelques mois, il avait rajeuni de plusieurs siècles. Les pierres tombées s'étaient remises en place. Les tourelles sveltes et blanches, coiffées d'un joli toit d'ardoises dessinant des
10 symétries, se tenaient fièrement, comme des gardiennes féodales, aux quatre coins du castel, dressant dans l'azur

leurs girouettes dorées. Un comble[1] orné d'une élégante crête en métal avait fait disparaître le vieux toit effondré de tuiles lépreuses et moussues. Aux fenêtres, désobstruées[2] de
15 leurs fermetures en planches, brillaient des vitres neuves encadrées de plomb, formant des ronds et des losanges ; aucune lézarde ne bâillait sur la façade complètement restaurée. Une superbe porte en chêne, soutenue de riches ferrures, fermait le porche qu'autrefois laissaient ouvert
20 deux vieux battants vermoulus à la peinture délavée. Sur le claveau[3] de l'arcade, au milieu de ses lambrequins[4] refouillés par un ciseau intelligent, rayonnaient les armoiries des Sigognac : trois cigognes sur champ d'azur, avec cette noble devise, naguère effacée, maintenant parfaitement lisible, en
25 lettres d'or : *Alta petunt*[5].

Sigognac garda quelques minutes le silence, contemplant ce spectacle merveilleux, puis il se tourna vers Isabelle et lui dit : « C'est à vous, gracieuse fée, que je dois cette transformation de mon manoir. Il vous a suffi de le toucher de
30 votre baguette pour lui rendre la splendeur, la beauté et la jeunesse. Je vous sais un gré infini[6] de cette surprise ; elle est charmante et délicieuse comme tout ce qui vient de vous. Sans que j'aie rien dit, vous avez deviné le vœu secret de mon âme.

35 — Remerciez aussi, répondit Isabelle, un certain enchanteur qui m'a beaucoup aidée en tout ceci » ; et elle montrait Vallombreuse assis dans un coin du carrosse.

---

notes

1. comble : faîtage ou faîte d'un bâtiment.

2. désobstruées : dégagées.

3. claveau : pierre taillée en coin pour prendre place dans une arcade.

4. lambrequins : motifs décoratifs symétriques.

5. Alta petunt : en latin, « Elles gagnent les hauteurs. »

6. je vous sais un gré infini : je vous suis infiniment reconnaissant.

Le baron serra la main du jeune duc.

Pendant cette conversation, le carrosse était parvenu sur
⁴⁰ une place régulière ménagée devant le château, dont les che-
minées de briques vermeilles envoyaient au ciel de larges
tourbillons de fumée blanche, prouvant qu'on attendait des
hôtes d'importance.

Pierre, en belle livrée neuve, était debout sur le seuil de
⁴⁵ la porte, dont il poussa les battants à l'approche de la voiture,
qui déposa le baron, la baronne et le duc au bas de l'escalier.
Huit ou dix laquais, rangés en haie sur les marches, saluèrent
profondément ces nouveaux maîtres qu'ils ne connaissaient
pas encore.

[…]

⁵⁰ Il n'y avait plus dans la cour ni orties, ni ciguës, ni aucune
de ces mauvaises herbes que favorisent l'humidité, la solitude
et l'incurie[1]. Les pavés, sertis de ciment, ne présentaient plus
cette bordure verte indice des maisons abandonnées. Par
leurs vitres claires, les fenêtres des chambres dont les portes
⁵⁵ étaient jadis condamnées, laissaient voir des rideaux de riche
étoffe qui montraient qu'elles étaient prêtes à recevoir des
hôtes.

On descendit au jardin par un perron dont les marches,
raffermies et dégagées de mousses, ne vacillaient plus sous
⁶⁰ le pied trop confiant. Au bas de la rampe s'épanouissait,
précieusement conservé, l'églantier sauvage qui avait offert
sa rose à la jeune comédienne, le matin du départ de
Sigognac. Il en portait encore une qu'Isabelle cueillit et
mit dans son sein, voyant là un présage heureux pour la
⁶⁵ durée de ses amours.

note
_____

1. *incurie* : manque de soin.

[Le chat Béelzébuth meurt d'indigestion et le baron s'apprête à l'enterrer.]

Quand la nuit fut tombée, Sigognac prit une bêche, une lanterne, et le corps de Béelzébuth, roide dans son linceul de soie. Il descendit au jardin, et commença à creuser la terre au pied de l'églantier, à la lueur de la lanterne dont les rayons
70 éveillaient les insectes, et attiraient les phalènes[1] qui venaient en battre la corne de leurs ailes poussiéreuses. Le temps était noir. À peine un coin de la lune se devinait-il à travers les crevasses d'un nuage couleur d'encre, et la scène avait plus de solennité que n'en méritaient les funérailles d'un chat.
75 Sigognac bêchait toujours, car il voulait enfouir Béelzébuth assez profondément pour que les bêtes de proie ne vinssent pas le déterrer. Tout à coup le fer de sa bêche fit feu comme s'il eût rencontré un silex. Le baron pensa que c'était une pierre, et redoubla ses coups ; mais les coups sonnaient bizar-
80 rement et n'avançaient pas le travail. Alors Sigognac approcha la lanterne pour reconnaître l'obstacle, et vit, non sans surprise, le couvercle d'une espèce de coffre en chêne, tout bardé d'épaisses lames de fer rouillé, mais très solides encore ; il dégagea la boîte en creusant la terre alentour, et, se servant
85 de sa bêche comme d'un levier, il parvint à hisser, malgré son poids considérable, le coffret mystérieux jusqu'au bord du trou, et le fit glisser sur la terre ferme. Puis il mit Béelzébuth dans le vide laissé par la boîte, et combla la fosse.
Cette besogne terminée, il essaya d'emporter sa trouvaille
90 au château, mais la charge était trop forte pour un seul homme, même vigoureux, et Sigognac alla chercher le fidèle Pierre, pour qu'il lui vînt en aide. Le valet et le maître

note

1. **phalènes :** grands papillons.

prirent chacun une poignée du coffre et l'emportèrent au château, pliant sous le faix[1].

95   Avec une hache, Pierre rompit la serrure, et le couvercle en sautant découvrit une masse considérable de pièces d'or : onces, quadruples, sequins, génovines, portugaises, ducats, cruzades, angelots[2] et autres monnaies de différents titres et pays, mais dont aucune n'était moderne. D'anciens bijoux
100   enrichis de pierres précieuses étaient mêlés à ces pièces d'or. Au fond du coffre vidé, Sigognac trouva un parchemin scellé aux armes de Sigognac, mais l'humidité en avait effacé l'écriture. Le seing était seul encore un peu visible, et, lettre à lettre, le baron déchiffra ces mots : « Raymond de
105   Sigognac. » Ce nom était celui d'un de ses ancêtres, parti pour une guerre d'où il n'était jamais revenu, laissant le mystère de sa mort ou de sa disparition inexpliqué. Il n'avait qu'un fils en bas âge et, au moment de s'embarquer dans une expédition dangereuse, il avait enfoui son trésor,
110   n'en confiant le secret qu'à un homme sûr, surpris sans doute par la mort avant de pouvoir révéler la cachette à l'héritier légitime. À dater de ce Raymond commençait la décadence de la maison de Sigognac, autrefois riche et puissante. Tel fut, du moins, le roman très probable qu'ima-
115   gina le baron d'après ces faibles indices ; mais ce qui n'était pas douteux, c'est que ce trésor lui appartînt. Il fit venir Isabelle et lui montra tout cet or étalé.

« Décidément, dit le baron, Béelzébuth était le bon génie des Sigognac. En mourant, il me fait riche, et s'en va quand
120   arrive l'ange. Il n'avait plus rien à faire, puisque vous m'apportez le bonheur. »

Au fil du texte

QUE S'EST-IL PASSÉ ENTRE-TEMPS ?

1. Justifiez le titre du chapitre XVII.

2. En quoi le chapitre XVII apparaît-il comme
un coup de théâtre ?

3. Pourquoi Sigognac quitte-t-il Isabelle
et regagne-t-il son château ?

AVEZ-VOUS BIEN LU ?

4. Complétez les phrases suivantes.

a) .... monte à l'échafaud pour subir
le supplice de ....

b) .... tue Agostin.

c) .... aident Chiquita
à s'échapper.

d) .... propose à Isabelle d'épouser
le baron de Sigognac.

e) ....
organisent en secret la restauration du château
du baron de Sigognac.

f) Dans l'épilogue, le baron de Sigognac retrouve
.... duquel
il avait cueilli une fleur pour la donner à Isabelle
lors de leur première rencontre.

g) C'est parce que .... meurt
que Sigognac trouve ....

ÉTUDIER LE VOCABULAIRE ET LA GRAMMAIRE (L. 1 À 34, PP. 182-183)

5. Relevez les termes qui donnent des indications de forme.

6. Relevez les termes qui donnent des indications de couleur.

7. Relevez les adjectifs qualificatifs mélioratifs★. Quelle est leur fonction ?

mélioratifs : qui donnent une image positive.

8. Complétez, en suivant la progression du texte, le tableau qui montre par quels procédés Gautier exprime les transformations du château.

Procédés grammaticaux	Expressions
Un adjectif qualificatif épithète au masculin singulier.	
Un verbe qui appartient à la famille du mot « jeunesse ».	
Un verbe à l'infinitif suivi de son c.o.d.	
Une construction négative formée d'un adjectif indéfini et de l'adverbe « ne ».	
Deux adverbes de temps opposés, à un mot d'intervalle.	

9. À quel temps est le verbe « *garda* » (l. 26) ? Pourquoi ?

10. Quelle expression donne l'impression que la description a été menée du point de vue de Sigognac ?

ÉTUDIER LE DÉNOUEMENT

11. Quels sont les personnages présents dans les chapitres XX et XXI ? Quel est l'effet produit ?

12. Quelles sont les deux histoires d'amour qui trouvent leur achèvement dans les chapitres XX et XXI ?

13. Quel rôle joue le duc de Vallombreuse dans le dénouement ?

LIRE L'IMAGE

14. Quels sont les personnages au premier plan de l'image page 175 ?

15. À quels indices voit-on la condition sociale de Chiquita ?

épilogue :
**conclusion,
dénouement
d'une œuvre
littéraire.**

trame narrative :
**récit qui sera
en arrière-plan
du dialogue.**

ÉTUDIER L'ÉPILOGUE★

16. Dans quelle mesure peut-on dire que le chapitre XXII doit être lu en se souvenant du chapitre I ? En quoi est-il un épilogue ?

17. Qu'apporte au dénouement la découverte du trésor ?

À VOS PLUMES !

18. Théophile Gautier avait envisagé pour son roman un dénouement malheureux. Dans cette perspective, imaginez la dernière page du roman.

19. Isabelle et Chiquita dialoguent et dressent un bilan de la situation à la fin du roman. Imaginez cette scène en insérant le dialogue dans une trame narrative★.

Retour sur l'œuvre

L'INTRIGUE

1. Indiquez si les propositions suivantes sont vraies ou fausses.

	V	F
a) L'histoire se déroule dans la première moitié du XIXe siècle.	☐	☐
b) Pierre, dans le premier chapitre, insiste pour que le baron de Sigognac quitte son château.	☐	☐
c) Le baron de Sigognac est le dernier descendant d'une famille ruinée.	☐	☐
d) Le père d'Isabelle est un prince.	☐	☐
e) La mère d'Isabelle est une comtesse abandonnée qui a trouvé refuge auprès d'une troupe de comédiens.	☐	☐
f) Le duc de Vallombreuse est le demi-frère d'Isabelle.	☐	☐
g) Sigognac succède à Léandre dans le rôle du capitaine Fracasse.	☐	☐
h) La première tentative de Vallombreuse pour enlever Isabelle échoue.	☐	☐
i) Lorsqu'il pense que son fils est mort, le prince de Vallombreuse chasse Sigognac de son château.	☐	☐
j) Le baron de Sigognac trouve un trésor en enterrant son chat Béelzébuth, ce qui lui permet de financer la restauration de son château.	☐	☐

2. Remettez dans l'ordre les événements suivants.

a) Le baron de Sigognac trouve un trésor.

b) Isabelle devient comtesse de Lineuil.

c) Chiquita apparaît à la lucarne.

d) Sigognac et Vallombreuse se battent en duel.

e) Vallombreuse va trouver Sigognac dans son château.

f) Un arbre pénètre dans une pièce du château
de Vallombreuse.

g) Isabelle offre son collier à Chiquita.

h) Sigognac épouse Isabelle.

i) Le marquis de Bruyères reçoit les comédiens chez lui.

j) Le duc de Vallombreuse enlève Isabelle.

LES PERSONNAGES

3. Qui prononce chacune des répliques suivantes ?

a) « *C'est comme la chape de la Notre-Dame sur l'autel !* » :
....

b) « *Cela […] explique à merveille les grâces sans
secondes dont on vous voit ornée. Un sang princier
coule dans vos veines. Je l'avais presque deviné !* »

....

c) « *En attendant, vous qui m'avez tendu la main pour
sortir de ce caveau, acceptez-moi franchement pour l'un
des vôtres.* » : ....

d) « *Quelque insolent que tu sois, maraud, je ne te ferai pas
l'honneur de te battre moi-même.* » : ....

e) « *Ah ! monsieur de Bruyères, les soubrettes vous plaisent.
Eh bien ! l'on vous en fricassera avec sel, piment et
muscade.* » : ....

f) « *Oh ! finissez […], finissez, Léandre, vos baisers
me brûlent et me rendent folle !* » : ....

g) « *Contentez-vous donc d'un amour le plus pur,
le plus vrai, le plus dévoué qui ait jamais fait battre
le cœur d'une femme.* » : ....

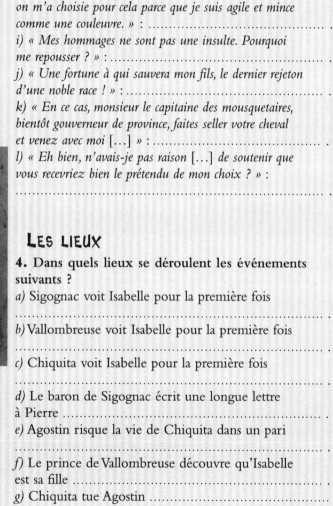

h) « *Ouvrir le verrou que tu pousses tous les soirs* [...] *; on m'a choisie pour cela parce que je suis agile et mince comme une couleuvre.* » : ....

i) « *Mes hommages ne sont pas une insulte. Pourquoi me repousser ?* » : ....

j) « *Une fortune à qui sauvera mon fils, le dernier rejeton d'une noble race !* » : ....

k) « *En ce cas, monsieur le capitaine des mousquetaires, bientôt gouverneur de province, faites seller votre cheval et venez avec moi* [...] » : ....

l) « *Eh bien, n'avais-je pas raison* [...] *de soutenir que vous recevriez bien le prétendu de mon choix ?* » :
....

LES LIEUX

4. Dans quels lieux se déroulent les événements suivants ?

a) Sigognac voit Isabelle pour la première fois
....

b) Vallombreuse voit Isabelle pour la première fois
....

c) Chiquita voit Isabelle pour la première fois
....

d) Le baron de Sigognac écrit une longue lettre
à Pierre ....

e) Agostin risque la vie de Chiquita dans un pari
....

f) Le prince de Vallombreuse découvre qu'Isabelle
est sa fille ....

g) Chiquita tue Agostin ....
....

h) Sigognac découvre un trésor ....
....

Dossier Bibliocollège

Schéma narratif

STRUCTURE DU ROMAN

Le Capitaine Fracasse est un roman d'aventures aux multiples rebondissements. Les personnages et les lieux se multiplient, mais ce foisonnement s'organise autour de grands pôles.

SITUATION INITIALE

Chapitre I : Sigognac vit solitaire dans son « château de la misère ».

ÉLÉMENT PERTURBATEUR

Chapitre II : annoncés par un coup frappé à la porte du château dès la fin du chapitre I, les comédiens entrent dans la vie du jeune baron et bouleversent son existence.

PÉRIPÉTIES

Chapitres III à VI : découverte des personnages et des intrigues
Le marquis de Bruyères et Zerbine.
La marquise de Bruyères et Léandre.
Agostin et Chiquita.
Sigognac et Isabelle : la naissance de l'amour.

Chapitre VII : premier tournant du roman
Matamore meurt dans le chapitre VI et Sigognac annonce qu'il va remplacer le comédien sous le nom de « capitaine Fracasse ».

Chapitres VIII à XIV : les intrigues s'étoffent
Le marquis et Zerbine (chapitres VIII et IX).
La marquise et Léandre (chapitre IX).
Sigognac, Isabelle et Vallombreuse :
– Vallombreuse tend une embuscade à Sigognac ;
Sigognac bat le duc en duel (chapitre IX) ;
– la première tentative d'enlèvement d'Isabelle
par Vallombreuse échoue (chapitre X) ;
– à Paris, Vallombreuse cherche à tuer Sigognac
(chapitre XI) ;
– Vallombreuse pénètre dans la chambre d'Isabelle
et déclare son amour à la jeune fille (chapitre XIII).

Chapitre XV : deuxième tournant du roman
Isabelle est enlevée par Vallombreuse.

**Chapitres XVI et XVII : Isabelle est prisonnière
de Vallombreuse**
Les visites de Vallombreuse.
L'intervention de Chiquita.
L'intervention de Sigognac et des comédiens.

ÉLÉMENT DE RÉSOLUTION
Chapitre XVII : troisième tournant du roman
Isabelle est la fille du prince de Vallombreuse,
donc la demi-sœur du duc.

DÉNOUEMENT
Chapitres XVIII à XXI : dénouement
– Isabelle habite chez les Vallombreuse (chapitre XVIII).

– Vallombreuse vient chercher Sigognac qui avait regagné son château (chapitre XIX).
– Chiquita tue Agostin par amour (chapitre XX).
– Sigognac épouse Isabelle (chapitre XXI).

Chapitre XXII : épilogue
Grâce à Vallombreuse, Sigognac et Isabelle vivent heureux et regagnent le château du baron.
Sigognac trouve un trésor.

SITUATION FINALE

Sigognac vit heureux, marié et riche, dans le « château du bonheur ».

LE JEU DES OPPOSITIONS

De fortes oppositions, entre des lieux ou des personnages, contribuent à structurer le roman.

• Les quatre châteaux

Le « château de la misère » (château de Sigognac dans le chapitre I)	Le château de Bruyères dans le chapitre V	Le château du duc de Vallombreuse dans les chapitres XVI et XVII	Le « château du bonheur » (château de Sigognac dans le chapitre XXII)
• Le château est en ruines.	• Le château est richement entretenu.	• Le château est entretenu.	• Le château est richement entretenu.
• Sigognac est seul et malheureux.	• Le plaisir règne.	• La violence règne.	• Sigognac est marié et heureux.

• **Sigognac et les autres**

Le baron de Sigognac	Le duc de Vallombreuse	Le marquis de Bruyères	Léandre
Il présente toutes les qualités physiques, morales et aristocratiques ; il éprouve un amour total et respectueux pour Isabelle.	Avant le revirement final, il se montre sans scrupules et violent. Son amour pour Isabelle n'est qu'attirance physique et désir de vaincre.	Pour lui, l'amour est synonyme de plaisir. C'est un aristocrate.	Pour lui, l'amour est synonyme de plaisir. C'est un comédien.

• **Isabelle et les autres**

Isabelle	Zerbine	La marquise de Bruyères	Chiquita
Elle présente toutes les qualités physiques, morales et aristocratiques ; elle éprouve un amour total et respectueux pour le baron.	Pour elle, l'amour est synonyme de plaisir. C'est une comédienne.	Pour elle, l'amour est synonyme de plaisir. C'est une aristocrate.	Jeune enfant sauvage, elle ne devient adulte qu'à la fin du roman. Elle ressemble plus à Isabelle qu'aux autres femmes car pour elle l'amour est une passion exclusive.

DEUX MONDES :
L'OMBRE ET LA LUMIÈRE

Le baron de Sigognac et Isabelle évoluent dans
un monde lumineux et transparent : ni mensonge,
ni dissimulation. Mais le roman évoque également
des lieux et des personnages plus sombres, tels ceux
qui fréquentent l'auberge du *Radis couronné*.

DEUX MONDES :
LE THÉÂTRE ET LA RÉALITÉ

Deux univers se côtoient et se croisent, celui de la réalité
et celui de la fiction. Les relations qu'ils entretiennent
sont assez complexes. Ainsi, la mère d'Isabelle est une
princesse de théâtre ; pourtant elle séduira un prince
bien réel. Par ailleurs, c'est en renonçant à son titre de
baron pour prendre un emploi de capitaine Fracasse
que Sigognac acquerra l'assurance aristocratique
(bien réelle) qui lui manquait au début du roman.

Il était une fois
Théophile Gautier

Une enfance parisienne

Théophile Gautier naît à Tarbes le 30 août 1811.
Son père est un employé aux contributions directes
et il est nommé à Paris en 1814.
Théophile Gautier grandit donc à Paris où, en 1822,
il devient interne au lycée Louis-le-Grand. Au collège
Charlemagne où il sera ensuite scolarisé, il devient ami,
dès 1826, avec Gérard Labrunie qui sera connu, comme
poète, sous le nom de Gérard de Nerval.
Les deux jeunes gens fréquentent les milieux artistiques
et font la connaissance de Victor Hugo qu'ils admirent
beaucoup. Théophile Gautier se tourne vers la peinture
et suit des cours en 1829.

Dates clés

30 août 1811 :
naissance
de Théophile
Gautier.

1830 :
Théophile
Gautier est
remarqué
lors de la
« bataille
d'*Hernani* » ;
il se range
du côté de
Victor Hugo
et du Cénacle
romantique.

Un jeune écrivain romantique

Dès 1829, Théophile Gautier renonce à la peinture
et se tourne vers la poésie. Il publie quelques poèmes
dans des revues et fait partie du Cénacle, un groupe
d'écrivains romantiques qui prétendent imposer la
modernité de leur nouvelle esthétique à l'encontre de
la tradition des classiques. Avec ses amis, il soutient
Victor Hugo dans la célèbre « bataille d'*Hernani* » :
de février à juin 1830, les romantiques se battent pour
imposer cette pièce de Victor Hugo qui renie la rigueur
classique et prône le mélange des genres. Théophile
Gautier se fait remarquer par sa toilette recherchée,
notamment son célèbre gilet rouge, ostensible
symbole de modernité.

En 1834, il emménage avec ses amis Nerval et Houssaye impasse du Doyenné où il mène une vie de bohème et publie quelques poèmes et nouvelles.

LE THÉORICIEN DE « L'ART POUR L'ART »

En 1836, Théophile Gautier fait paraître un roman, *Mademoiselle de Maupin*, pour lequel il sera accusé d'immoralité. Dans la préface, il affirme sa conception de la littérature : l'art n'a pas d'autre fin que lui-même. C'est donc la théorie de « l'art pour l'art » : « Il n'y a de vraiment beau que ce qui ne peut servir à rien », écrit-il. Dans cette préface au registre polémique, prenant ses distances par rapport au romantisme qui voyait dans l'art la voie du progrès, il prépare la venue d'un nouveau courant poétique, celui des poètes du Parnasse qui, à partir de 1860, regroupera Leconte de Lisle, Théodore de Banville, José Maria de Heredia... Gautier puis les parnassiens cherchent la pureté de la forme et affirment que le beau est l'unique projet de l'écrivain. Théophile Gautier devient journaliste pour *La Presse*, la revue d'Émile de Girardin, et se met à voyager, en Belgique notamment.

Le voyage qu'il effectue en Espagne en 1840 lui inspire le recueil *España* qu'il fait paraître en 1845. Il découvre également l'Algérie (1845), l'Italie, la Grèce et la Turquie (1850-1852).

De sa liaison avec Eugénie Fort, naît en novembre 1836 un fils, Théophile Charles Marie. Mais en 1841, il tombe amoureux de la danseuse Carlota Grisi pour qui il écrira des livrets de ballets, dont le célèbre *Giselle*. En 1844, il entame une liaison avec la jeune sœur de Carlota,

Dates clés

1836 :
dans la préface de *Mademoiselle de Maupin*, Gautier défend sa conception de « l'art pour l'art ».

1845 :
Gautier publie *España*.

la cantatrice Ernesta Grisi. Deux filles naîtront : Judith
en 1845 et Estelle en 1847.
Il compose des poèmes (*Émaux et Camées*, en 1852)
qui témoignent de sa conception de la littérature.
En 1844, il signe un contrat concernant la publication
du *Capitaine Fracasse*, contrat qu'il n'honore pas
et qui lui vaudra un procès.

Un écrivain sous le Second Empire

Théophile Gautier continue sa carrière de journaliste ;
en 1852, il devient codirecteur de *La Revue de Paris* ;
il écrit des articles pour *Le Moniteur universel* mais
ne travaille plus pour *La Presse* d'Émile de Girardin
avec qui il s'est brouillé.
Il poursuit ses voyages : deux voyages en Russie,
le second avec son fils, un voyage à Londres puis en
Algérie. Il découvre l'Égypte et sera présent au Caire
pour l'inauguration du canal de Suez en 1869.
Parallèlement à cette vie de voyages et à cette carrière
journalistique, Théophile Gautier poursuit son œuvre
littéraire. Le grand poète Charles Baudelaire admire son
talent et lui dédie son recueil *Les Fleurs du mal* en 1857.
À partir de 1858, il entame la publication en feuilleton
du *Roman de la momie*. Il reprend le projet annoncé
en 1844 et *Le Capitaine Fracasse* paraît en feuilleton
dans la *Revue nationale et étrangère*. Passionné de
théâtre, il publie, en six volumes, une *Histoire de l'art
dramatique en France depuis vingt-cinq ans*. Malgré cela,
il ne parviendra pas à entrer à l'Académie française.
Théophile Gautier meurt à Neuilly, le 23 octobre 1872.

Dates clés

1852 :
Gautier
publie
*Émaux
et Camées.*

1858 :
*Le Capitaine
Fracasse*
paraît en
feuilleton.

**23 octobre
1872 :**
mort de Gautier.

Être écrivain au XIXᵉ siècle

Un siècle de bouleversements

• Des bouleversements politiques

La Révolution française de 1789, qui a marqué la fin de l'Ancien Régime, inaugure une longue période d'instabilité politique et de profonds bouleversements. Le Directoire (1795-1799) et la Constitution de l'an III succèdent à la période révolutionnaire (1789-1795). Le Consulat (1799-1804) confie rapidement le pouvoir au premier consul, Napoléon Bonaparte, qui se proclame empereur le 18 mai 1804. Le Premier Empire s'achève en 1815 lorsque Napoléon Iᵉʳ abdique définitivement. Un régime monarchique est instauré : la Restauration (1815-1830) voit se succéder Louis XVIII (1815-1824, à l'exception des Cent-Jours, en 1815, pendant lesquels Napoléon Iᵉʳ revient au pouvoir) et Charles X (1824-1830). En juillet 1830, les « Trois Glorieuses » sont des journées troublées qui amènent au pouvoir Louis-Philippe pour la « monarchie de Juillet » qui durera jusqu'en 1848.

Le 22 février, une insurrection éclate et contraint le roi à abdiquer : la IIᵉ République est proclamée le 24... Elle sera brève car, le 2 décembre 1852, Louis Napoléon Bonaparte devient empereur sous le nom de Napoléon III. Il va gouverner jusqu'en 1870. Son régime, au départ autoritaire, s'assouplira à partir de 1859. La plume acérée d'un Victor Hugo critiquant « Napoléon le Petit » – par comparaison avec Napoléon Iᵉʳ – ou d'un Émile Zola mettant en scène la société du Second Empire dans sa fresque romanesque des *Rougon-Macquart* ont

À retenir

Politique intérieure : à partir de 1789, la France connaît de nombreux régimes politiques différents : monarchies, républiques, empires.

contribué à nous laisser une image négative de cette période qui fut pourtant une époque de très grande prospérité économique. Le 19 juillet 1870, Napoléon III déclare la guerre à l'Allemagne de Bismarck. Mais dès le 2 septembre, retranché à Sedan, il capitule ; la France perd l'Alsace et la Lorraine, ce qui sera un des éléments déclencheurs de la Première Guerre mondiale.

Le 4 septembre 1870, la IIIᵉ République est proclamée à Paris ; elle durera jusqu'en 1940.

Théophile Gautier, né en 1811 et mort en 1872, connaît ces années troublées. Rangé au côté des romantiques au moment de la « bataille d'*Hernani* » (voir page 199), il prêchera cependant pour une littérature coupée de tout projet politique.

• Des bouleversements économiques

Après plusieurs siècles d'un progrès très lent, l'Europe entre dans l'ère industrielle et connaît de nombreux bouleversements. L'invention de la machine à vapeur en Angleterre en 1769 (Watt) associée à l'exploitation du charbon ouvre de nombreuses possibilités. Après l'invention de la toute première locomotive à vapeur en Grande-Bretagne, en 1804, par Richard Trevithick, la France ouvre sa première ligne de chemin de fer en 1827. En 1838, *Le Sirius*, un navire à vapeur, traverse l'Atlantique et peu de temps après se mettent en place les premières lignes régulières entre les Amériques et l'Europe. Gautier, mort en 1872, ne connaîtra pas la seconde révolution industrielle qui voit se développer, à partir de 1880, l'usage de l'électricité.

• Une société nouvelle

La société figée de l'Ancien Régime a donc disparu et l'ambition personnelle devient un moteur social, comme

À retenir

Économie : l'invention de la machine à vapeur, en 1769, et l'exploitation du charbon sont les ressorts de la première révolution industrielle.

Balzac le montre dans *Le Père Goriot*, par exemple. Si les anciennes castes sociales n'existent plus, l'industrialisation voit la naissance de la nouvelle catégorie des ouvriers dont Émile Zola prendra la défense dans nombre de ses romans. Progressivement, la France, rurale, devient urbaine et l'alphabétisation progresse. L'accès à la lecture est facilité par la baisse du coût de fabrication des livres et des journaux. La littérature devient populaire ; les feuilletons se multiplient. C'est ainsi que paraîtra *Le Capitaine Fracasse*. Mais on peut évoquer aussi *Les Mystères de Paris* (1842-1843) d'Eugène Sue ou, à l'étranger, *L'Île au trésor* (1881-1882) de l'Anglais Robert Louis Stevenson.

À retenir

Progrès : la France devient peu à peu urbaine et l'illettrisme recule.

Romantisme : l'écrivain romantique s'oppose aux règles du classicisme.

Romantisme et société : la génération romantique a du mal à trouver sa place dans la société : c'est le « mal du siècle ».

LA RÉVOLUTION ROMANTIQUE

Depuis le XVIIᵉ siècle, malgré quelques exceptions pendant le Siècle des lumières (XVIIIᵉ siècle), le goût est classique : on respecte les Anciens (Latins et Grecs), on prône la mesure et la séparation des genres (la tragédie d'un côté et la comédie de l'autre). Victor Hugo, lui, avec *Hernani*, revendique une nouvelle esthétique. Le romantisme, venu d'Allemagne, est bel et bien entré en France. Démesure et mélange des genres (Gautier le pratique à sa manière dans *Le Capitaine Fracasse*) sont à l'ordre du jour ; le Moyen Âge devient à la mode. Le héros romantique a une sensibilité exacerbée et il ne perçoit le monde qui l'entoure qu'au travers de ses sentiments et émotions. Idéaliste et rêveur, il ne parvient pas bien à trouver sa place dans la société ambitieuse et pratique qui l'entoure. Sombre et désabusé, il connaît

« le soleil noir de la mélancolie » dont parle Gérard
de Nerval (un des amis de Théophile Gautier) :
c'est le « mal du siècle ».
L'écrivain romantique veut cependant agir sur son
époque. Pour Victor Hugo, par exemple, le poète est
« semblable aux prophètes » : il doit « faire flamboyer
l'avenir », guider l'humanité vers des jours meilleurs.

LES RÉACTIONS AU ROMANTISME

Le romantisme est un mouvement qui connaît son
apogée dans la première moitié du XIXᵉ siècle. Très
vite, des réactions apparaissent et les écrivains
affichent d'autres projets et d'autres conceptions
de la littérature.

• Le réalisme

Pour les écrivains réalistes, tel Balzac, le romancier
doit transcrire la réalité, s'appliquer à donner aux
lecteurs une image fidèle et complète de la société
de son temps. Le héros n'est plus un personnage hors
du commun comme le montraient les romantiques
mais un être ordinaire confronté à une réalité difficile.
Après Balzac, Flaubert évoque dans *Un cœur simple*,
dans *Madame Bovary* ou dans *Bouvard et Pécuchet*,
la médiocrité bourgeoise et le mirage trompeur
des ambitions romantiques. Zola, dans la seconde moitié
du siècle, donne au réalisme une tournure
plus scientifique avec sa fresque romanesque
des *Rougon-Macquart* : c'est le naturalisme qui
forme le projet d'adapter au roman la méthode
expérimentale du scientifique Claude Bernard.

À retenir

**Courants
littéraires :**
les écrivains
réalistes puis
naturalistes
se donnent
pour mission
de transcrire
la réalité.

• « L'art pour l'art »

Théophile Gautier, qui s'est détaché des romantiques mais qui n'a pas suivi les réalistes, ouvre une troisième voie dans la préface de son roman, *Mademoiselle de Maupin*. L'art n'est pas au service de la réalité, ni au service de ceux qui veulent la transformer : il n'a pas d'autre ambition que lui-même. C'est la théorie de « l'art pour l'art » qui sera ensuite reprise par les parnassiens (voir p. 200).

À retenir

L'« art » de Gautier : Théophile Gautier est marqué par le romantisme mais il accorde aussi beaucoup d'importance à la perfection du style.

ET LE CAPITAINE FRACASSE ?

Pris dans la tourmente des bouleversements, Théophile Gautier, dans *Le Capitaine Fracasse*, reprend tous les stéréotypes romantiques : une société figée sous Louis XIII, des héros parfaits, le mélange des genres. Mais on le voit aussi ciseler ses pages comme des « émaux », pour faire allusion à l'un de ses recueils de poèmes et à sa théorie de « l'art pour l'art ». Soignant ses descriptions jusqu'à la préciosité ou l'élitisme, le voilà cependant qui s'adresse à un large public : les péripéties attendues du roman d'aventures, les amours, le feuilleton…

Mais, ce qui fait notre plaisir dans *Le Capitaine Fracasse*, n'est-ce pas justement cet entrecroisement complexe des références et des registres ?

Le Capitaine Fracasse : un roman d'aventures ?

Duels, embuscades, enlèvements… *Le Capitaine Fracasse* semble réunir tous les ingrédients attendus du roman d'aventures traditionnel. Sans doute. Mais que cela ne nous empêche pas de mesurer les autres dimensions du roman.

UN ROMAN D'AVENTURES

Le Capitaine Fracasse est un long roman dans lequel les lieux et les personnages foisonnent. Cette multiplicité est l'un des aspects du roman d'aventures auquel on peut ajouter aussi le thème de l'errance. Le chariot des comédiens erre en quête de succès et Sigognac se joint à leur troupe sans projet défini. De manière générale, depuis les récits fondateurs que sont l'*Iliade* et l'*Odyssée* d'Homère, les héros voyagent : ils se déplacent avec un projet précis, tels les chevaliers de la Table ronde en quête du Graal. Ou bien ils sont poussés à la surface du globe, comme Ulysse par la colère de Poséidon. Toujours est-il qu'ils ne tiennent pas en place ! Ajoutons que le roman de Gautier met en scène les personnages types du genre : Sigognac dans le rôle (dans l'« emploi » a-t-on envie de dire ici) du jeune noble courageux et séduisant. Le baron est certes falot au début. Son aspect extérieur, « *à la fois ridicule et touchant* », susceptible de le faire passer pour « *son propre aïeul* », ne séduit qu'Isabelle. Mais il prendra petit à petit, au contact de l'illusion théâtrale, une consistance. La main qu'il pose sur le bras d'un Vallombreuse insolent (chapitre VIII) est « *un étau* » et le duc apprendra à ses dépens qu'il ne faut pas sous-estimer la force du baron. Autour de ce héros progressivement lumineux, des personnages sombres viennent semer des embûches, elles aussi « attendues » dans le roman d'aventures. Il s'agit, bien entendu, du duc de Vallombreuse, personnage presque démoniaque que l'on pourrait parfois croire sorti d'un roman libertin du XVIIIe siècle. Il s'agit aussi des personnages troubles qui fréquentent *Le Radis couronné* et que le duc emploie pour parvenir à ses fins.

Bien sûr, les péripéties archétypales du genre sont présentes elles aussi : attaques de brigands, duels, tentatives d'enlèvement… Et tout se résout grâce à un coup de théâtre : Isabelle s'avère être la sœur de Vallombreuse. La voilà débarrassée d'un prétendant violent et, en même temps, promue comtesse de Lineuil. Elle peut ainsi épouser le baron de Sigognac qu'elle avait auparavant refusé pour éviter au jeune homme une mésalliance. Le dénouement est donc heureux : un mariage et la découverte d'un trésor !

Le Capitaine Fracasse est donc bien un grand roman d'aventures. On aurait cependant tort de s'arrêter là.

UN ROMAN D'APPRENTISSAGE

Si l'*Odyssée* d'Homère que nous avons évoqué plus haut fait figure d'ancêtre du roman d'aventures, ce long poème épique est aussi le point de départ des récits d'initiation ou d'apprentissage. On entend par là toutes les œuvres dont l'objectif principal est de raconter l'évolution d'un personnage, notamment son passage de l'enfance à l'âge adulte. C'est un genre qui fleurit au XIXᵉ siècle et Gautier ne peut manquer de connaître les héros de Balzac tel Rastignac *(Le Père Goriot)*, par exemple. Ainsi, le roman d'aventures qu'est *Le Capitaine Fracasse* se double d'un roman d'apprentissage car le lecteur assiste à la métamorphose du héros. Le jeune homme triste, timide et démodé du premier chapitre prendra de l'assurance tout au long du roman. Son errance en compagnie des comédiens a fonction de trajet initiatique et plusieurs personnages vont favoriser cette transformation. Il s'agit bien entendu d'Isabelle. Mais l'on peut évoquer également le jeune duc de Vallombreuse pour plusieurs raisons. D'abord, en s'opposant au duc, Sigognac découvre sa force. Puis c'est Vallombreuse lui-même qui vient rechercher le baron dans son château en ruine pour lui donner la main de sa sœur, Isabelle, devenue comtesse de Lineuil. Le théâtre est aussi un facteur fondamental de cette évolution. Sigognac prend de l'assurance en devenant, sur scène, le « capitaine Fracasse ». Ce qu'il manifeste dans le monde de l'illusion devient vrai par la suite. Parallèlement à cet apprentissage, le lecteur assiste à une autre métamorphose qui est aussi une initiation. Il s'agit de Chiquita qui, d'enfant sauvage au début du roman, deviendra, dans le chapitre XX, une femme passionnée capable de tuer par amour.

Ainsi le roman d'aventures se double d'un roman d'apprentissage qui nous montre la seconde naissance du baron de Sigognac. Mais prenons un peu de recul. Théophile Gautier nous promène dans les archétypes romanesques et jongle (en homme de théâtre et en illusionniste ?) avec les lieux communs. Ne nous laissons pas prendre. Si le Gautier de la « bataille d'*Hernani* » avait d'abord pleinement l'intention d'écrire un roman d'aventures, l'homme qui se décide, quelque trente années plus tard, à réaliser le projet annoncé est un écrivain d'expérience qui ne peut manquer de prendre ses distances vis-à-vis de tous ces archétypes séduisants.

LES LIMITES DU GENRE ET LA DISTANCE AMUSÉE

On est parfois tenté de dire que Théophile Gautier s'est lancé dans une parodie du roman d'aventures. Mais c'est exagéré. Écrivons simplement qu'il frôle la parodie, qu'il pose sur ses personnages et sur ses intrigues un regard amusé mais bienveillant. Un léger sourire critique… Lorsque Gautier écrit *Le Capitaine Fracasse*, Flaubert a déjà entrepris de détruire les héros de roman en imaginant le personnage d'Emma dans *Madame Bovary* (1857). Sans cesse Flaubert pose un regard critique sur son héroïne. Gautier ne peut avoir ignoré ce roman qui a fait scandale lors de sa parution. Sans écrire à la manière de Flaubert, il joue le jeu du roman d'aventures tout en se moquant de son entreprise. C'est ainsi que l'on peut comprendre l'accumulation de toutes ces péripéties conventionnelles, telles que l'attaque de brigands ou l'enlèvement d'Isabelle. De plus, l'amour passionné et pur des deux héros a comme arrière-plan des intrigues plus légères. Le marquis et la marquise de Bruyères (chacun de leur côté) ont une conception de l'amour bien différente de celle du baron et d'Isabelle. Sans parler de Vallombreuse qui prend parfois des allures de héros de Sade ! Certains passages frôlent la comédie : Léandre qui, venant de quitter la marquise de Bruyères, croise son mari, témoin choisi par Sigognac pour son duel (chapitre IX) ; puis, dans le chapitre XVI, le duc de Vallombreuse se montre « *surpris de l'irruption soudaine* [d'un] *arbre dans une scène d'amour* » qui prenait des airs de viol… Tout l'art de Gautier réside dans cet équilibre fragile qui fait que le lecteur croit au roman d'aventures sans pour autant le prendre totalement au sérieux.

La première représentation d'*Hernani*, de Victor Hugo, en 1830. Composition de Gazan.

Groupement de textes :
Le héros au combat

Dans l'Antiquité, le héros est un demi-dieu. Ainsi, Hercule est le fils d'une mortelle, Alcmène, et de Jupiter. Parce qu'il est supérieur aux hommes, le héros se montre capable d'accomplir des exploits et sa force se manifeste notamment dans des combats, comme celui d'Hercule contre l'hydre de l'Herne, par exemple. La littérature, enracinée dans la mythologie, aime bien mettre en scène des hommes hors du commun qui incarnent un modèle auquel tous aspirent. Ainsi, le héros du roman d'aventures, tel le capitaine Fracasse, est pourvu de toutes les qualités morales, intellectuelles et physiques. Et c'est lors d'un combat, en affrontant en duel le duc de Vallombreuse, que le jeune baron de Sigognac révèle (au lecteur qui s'en doutait, mais également à lui-même) ses qualités extraordinaires.

La scène de combat est donc un archétype du roman d'aventures dans lequel résonnent encore les cris des combats mythologiques. C'est un moment clé de l'intrigue romanesque dans la mesure où s'y manifeste la puissance hors du commun du héros.

La Bible : le combat de David contre Goliath

David, jeune berger hébreu, se propose pour combattre Goliath, un géant qui défend la cause des Philistins, peuple ennemi des Hébreux. Le roi d'Israël, Saül, arme David ; mais ce dernier s'avère incapable de porter un équipement auquel il n'est pas habitué.

David dit à Saül : « Ton serviteur était berger chez son père. S'il venait un lion, et même un ours, pour enlever une brebis du troupeau, je partais à sa poursuite, je le frappais et la lui arrachais de la gueule. Quand il m'attaquait, je le saisissais par les poils et je le frappais à mort. Ton serviteur a frappé et le lion et l'ours. Ce Philistin incirconcis[1] sera comme l'un d'entre eux, car il a défié les lignes[2] du Dieu vivant. » David dit : « Le SEIGNEUR qui m'a arraché aux griffes du lion et de l'ours, c'est lui qui m'arrachera de la main de ce Philistin. » Saül dit à David : « Va, et que le SEIGNEUR soit avec toi. »

Saül revêtit David de ses propres habits, lui mit sur la tête un casque de bronze et le revêtit d'une cuirasse.

David ceignit aussi l'épée de Saül par-dessus ses habits et essaya en vain de marcher, car il n'était pas entraîné. David dit à Saül : « Je ne pourrai pas marcher avec tout cela, car je ne suis pas entraîné. » Et David s'en débarrassa. Il prit en main son bâton, se choisit dans le torrent cinq pierres bien lisses, les mit dans son sac de berger, dans la sacoche, et, la fronde[3] à la main, s'avança contre le Philistin.

Le Philistin, précédé de son porte-bouclier, se mit en marche, s'approchant de plus en plus de David.

Le Philistin regarda et, quand il aperçut David, il le méprisa : c'était un gamin au teint clair et à la jolie figure. Le Philistin dit à David : « Suis-je un chien pour que tu viennes à moi armé de bâtons ? » Et le Philistin maudit David par ses dieux.

Le Philistin dit à David : « Viens ici, que je donne ta chair aux oiseaux du ciel et aux bêtes des champs. »

David dit au Philistin : « Toi, tu viens à moi armé d'une épée, d'une lance et d'un javelot[4] ; moi, je viens à toi armé du nom du SEIGNEUR, le tout-puissant, le Dieu des lignes d'Israël, que tu as défié. Aujourd'hui même, le SEIGNEUR te remettra entre mes mains : je te frapperai et je te décapiterai. Aujourd'hui même, je donnerai les cadavres de l'armée philistine aux

---

1. incirconcis : qui n'a pas été circoncis (les Hébreux sont circoncis).

2. lignes : projets.

3. fronde : arme qui utilise la force centrifuge pour lancer un projectile.

4. javelot : sorte de lance.

oiseaux du ciel et aux animaux de la terre. Et toute la terre saura qu'il y a un Dieu pour Israël.

Et toute cette assemblée le saura : ce n'est ni par l'épée, ni par la lance que le SEIGNEUR donne la victoire, mais le SEIGNEUR est le maître de la guerre et il vous livrera entre nos mains. »

Tandis que le Philistin s'ébranlait[1] pour affronter David et s'approchait de plus en plus, David courut à toute vitesse pour se placer et affronter le Philistin. David mit prestement[2] la main dans son sac, y prit une pierre, la lança avec la fronde et frappa le Philistin au front. La pierre s'enfonça dans son front et il tomba la face contre terre.

Ainsi David triompha du Philistin par la fronde et la pierre. Il frappa le Philistin et le tua. Il n'y avait pas d'épée dans la main de David.

Samuel, livre I, 17, versets 34 à 50, texte biblique extrait
de la Traduction Œcuménique de la Bible (TOB)
© Société biblique française et Éditions du Cerf, 1988, avec autorisation.

L'*ILIADE* : LE COMBAT D'AJAX CONTRE HECTOR

La guerre de Troie oppose les Grecs aux Troyens. Ajax, un héros grec, affronte Hector, le fils du roi de Troie, Priam.

AJAX. – Hector, c'est maintenant, seul à seul avec moi, que tu vas éprouver la valeur des héros qui se trouvent encore aux rangs des Danaens[3], en l'absence d'Achille[4] à l'ardeur destructrice, à l'âme de lion. Achille reste auprès de ses nefs[5] recour-

---

1. *s'ébranlait :* se mettait en mouvement.
2. *prestement :* rapidement.
3. *Danaens :* descendants du roi légendaire Danaos, nom que se donnent les Grecs.
4. *Achille :* un des héros grec de la guerre de Troie, fils de Thétis et roi des Myrmidons en Thessalie.
5. *nefs :* navires.

bées, voyageuses des mers, toujours plein de colère envers Agamemnon[1], le pasteur de guerriers. Nous n'en sommes pas moins de taille à t'affronter, et nombreux pour le faire. Allons ! à toi d'ouvrir la lutte et la bataille !

Le grand Hector au casque étincelant réplique :

HECTOR. – Ajax, issu de Zeus et fils de Télamon[2], conducteur de guerriers, ne viens pas m'éprouver comme un enfant débile[3], ou bien comme une femme à qui sont étrangers les travaux de la guerre. Les combats, les tueries, c'est mon affaire, à moi. Je sais mouvoir à droite, à gauche mon écu[4] de peau de bœuf séchée, ce solide instrument que je porte au combat. Je sais bondir dans le fracas des chars rapides, et, dans le corps à corps, je sais d'Arès[5] sanglant exécuter la danse. Mais ce n'est pas par ruse et par fine surprise que je voudrais frapper un homme tel que toi, – non, mais ouvertement, si j'y puis réussir. Il dit et, brandissant sa longue javeline, il la lance.

Iliade, chant VII, traduction de Robert Flacelière, Bibliothèque de la Pléiade, Gallimard, 1955.

TRISTAN ET ISEULT

Le jeune Tristan doit sauver son peuple en combattant un chevalier géant, le Morholt, que jamais personne n'a encore vaincu.

Tristan monta seul dans une barque et cingla[6] vers l'île Saint-Samson. Mais le Morholt avait tendu à son mât une voile de riche pourpre[7], et le premier il aborda dans l'île. Il attachait

---

1. Agamemnon : un des rois grecs (d'Argos et de Mycène).

2. Télamon : père d'Ajax.

3. débile : faible.

4. écu : bouclier.

5. Arès : dieu de la Guerre.

6. cingla : se dirigea rapidement.

7. pourpre : toile rouge.

sa barque au rivage, quand Tristan, touchant terre à son tour, repoussa du pied la sienne vers la mer.

– Vassal[1], que fais-tu ? dit le Morholt, et pourquoi n'as-tu pas retenu comme moi ta barque par une amarre ?

– Vassal, à quoi bon ? répondit Tristan. L'un de nous reviendra seul vivant d'ici : une seule barque ne lui suffit-elle pas ?

Et tous deux, s'excitant au combat par des paroles outrageuses[2], s'enfoncèrent dans l'île.

Nul ne vit l'âpre bataille ; mais, par trois fois, il sembla que la brise de mer portait au rivage un cri furieux. Alors, en signe de deuil, les femmes battaient leurs paumes en chœur, et les compagnons du Morholt, massés à l'écart devant leurs tentes, riaient. Enfin, vers l'heure de none[3], on vit au loin se tendre la voile de pourpre ; la barque de l'Irlandais se détacha de l'île, et une clameur de détresse retentit : « Le Morholt ! le Morholt ! » Mais, comme la barque grandissait, soudain, au sommet d'une vague, elle montra un chevalier qui se dressait à la proue[4] ; chacun de ses poings tendait une épée brandie : c'était Tristan. Aussitôt vingt barques volèrent à sa rencontre et les jeunes hommes se jetaient à la nage. Le preux[5] s'élança sur la grève et, tandis que les mères à genoux baisaient ses chausses de fer, il cria aux compagnons du Morholt :

– Seigneurs d'Irlande, le Morholt a bien combattu. Voyez : mon épée est ébréchée, un fragment de la lame est resté enfoncé dans son crâne. Emportez ce morceau d'acier, seigneurs : c'est le tribut de la Cornouailles !

Tristan et Iseult, traduction de Joseph Bédier, 1900, coll. « Bibliocollège », n° 11, Hachette Livre, 2003.

---

1. **vassal :** celui qui obéit ; c'est ici une insulte.
2. **outrageuses :** blessantes.
3. **vers l'heure de none :** vers 15 heures.
4. **proue :** avant du navire.
5. **preux :** chevalier courageux.

LES TROIS MOUSQUETAIRES,
D'ALEXANDRE DUMAS

Le jeune d'Artagnan, arrivé de Gascogne, a provoqué en duel Athos, Porthos et Aramis, les trois mousquetaires. Il a donné rendez-vous à Athos et il découvre avec stupeur que les témoins de son adversaire ne sont autres que les deux hommes qu'il a défiés… Pourtant, un édit du Cardinal a interdit les duels…

En effet, au bout de la rue de Vaugirard commençait à apparaître le gigantesque Porthos.

« Quoi ! s'écria d'Artagnan, votre premier témoin[1] est M. Porthos ?
– Oui, cela vous contrarie-t-il ?
– Non, aucunement.
– Et voici le second. »

D'Artagnan se retourna du côté indiqué par Athos, et reconnut Aramis.

« Quoi ! s'écria-t-il d'un accent plus étonné que la première fois, votre second témoin est M. Aramis ?
– Sans doute, ne savez-vous pas qu'on ne nous voit jamais l'un sans l'autre, et qu'on nous appelle, dans les mousquetaires et dans les gardes, à la cour et à la ville, Athos, Porthos et Aramis ou les trois inséparables ? Après cela, comme vous arrivez de Dax ou de Pau…
– De Tarbes[2], dit d'Artagnan.
– Il vous est permis d'ignorer ce détail, dit Athos.
– Ma foi, dit d'Artagnan, vous êtes bien nommés, Messieurs, et mon aventure, si elle fait quelque bruit, prouvera du moins que votre union n'est point fondée sur les contrastes. »

Pendant ce temps, Porthos s'était rapproché, avait salué de la main Athos ; puis, se retournant vers d'Artagnan, il était resté tout étonné.

---

1. témoin : personne qui accompagne chaque combattant dans un duel pour s'assurer que tout se passe selon les règles.
2. Dax, Pau, Tarbes : villes du Sud-Ouest de la France (Gascogne).

Disons, en passant, qu'il avait changé de baudrier[1] et quitté son manteau.

« Ah ! ah ! fit-il, qu'est-ce que cela ?

– C'est avec Monsieur que je me bats, dit Athos en montrant de la main d'Artagnan, et en le saluant du même geste.

– C'est avec lui que je me bats aussi, dit Porthos.

– Mais à une heure seulement, répondit d'Artagnan.

– Et moi aussi, c'est avec Monsieur que je me bats, dit Aramis en arrivant à son tour sur le terrain.

– Mais à deux heures seulement, fit d'Artagnan avec le même calme.

– Mais à propos de quoi te bats-tu, toi, Athos ? demanda Aramis.

– Ma foi, je ne sais pas trop, il m'a fait mal à l'épaule ; et toi, Porthos ?

– Ma foi, je me bats parce que je me bats », répondit Porthos en rougissant.

Athos, qui ne perdait rien, vit passer un fin sourire sur les lèvres du Gascon.

« Nous avons eu une discussion sur la toilette, dit le jeune homme.

– Et toi, Aramis ? demanda Athos.

– Moi, je me bats pour cause de théologie », répondit Aramis tout en faisant signe à d'Artagnan qu'il le priait de tenir secrète la cause de son duel.

Athos vit passer un second sourire sur les lèvres de d'Artagnan.

« Vraiment, dit Athos.

– Oui, un point de saint Augustin sur lequel nous ne sommes pas d'accord, dit le Gascon.

– Décidément c'est un homme d'esprit, murmura Athos.

– Et maintenant que vous êtes rassemblés, Messieurs, dit d'Artagnan, permettez-moi de vous faire mes excuses. »

À ce mot d'excuses, un nuage passa sur le front d'Athos, un sourire hautain glissa sur les lèvres de Porthos, et un signe négatif fut la réponse d'Aramis.

---

1. baudrier : bande de cuir qui se porte en écharpe pour soutenir une épée.

« Vous ne me comprenez pas, Messieurs, dit d'Artagnan en relevant sa tête, sur laquelle jouait en ce moment un rayon de soleil qui en dorait les lignes fines et hardies : je vous demande excuse dans le cas où je ne pourrais vous payer ma dette à tous trois, car M. Athos a le droit de me tuer le premier, ce qui ôte beaucoup de sa valeur à votre créance[1], Monsieur Porthos, et ce qui rend la vôtre à peu près nulle, Monsieur Aramis. Et maintenant, Messieurs, je vous le répète, excusez-moi, mais de cela seulement, et en garde ! »

À ces mots, du geste le plus cavalier qui se puisse voir, d'Artagnan tira son épée.

Le sang était monté à la tête de d'Artagnan, et dans ce moment il eût tiré son épée contre tous les mousquetaires du royaume, comme il venait de faire contre Athos, Porthos et Aramis.

Il était midi et un quart. Le soleil était à son zénith[2], et l'emplacement choisi pour être le théâtre du duel se trouvait exposé à toute son ardeur.

« Il fait très chaud, dit Athos en tirant son épée à son tour, et cependant je ne saurais ôter mon pourpoint[3] ; car, tout à l'heure encore, j'ai senti que ma blessure saignait, et je craindrais de gêner Monsieur en lui montrant du sang qu'il ne m'aurait pas tiré lui-même.

— C'est vrai, Monsieur, dit d'Artagnan, et tiré par un autre ou par moi, je vous assure que je verrai toujours avec bien du regret le sang d'un aussi brave gentilhomme ; je me battrai donc en pourpoint comme vous.

— Voyons, voyons, dit Porthos, assez de compliments comme cela, et songez que nous attendons notre tour.

— Parlez pour vous seul, Porthos, quand vous aurez à dire de pareilles incongruités[4], interrompit Aramis. Quant à moi, je trouve les choses que ces Messieurs se disent fort bien dites et tout à fait dignes de deux gentilshommes.

---

1. *créance* : droit selon lequel on peut exiger quelque chose de quelqu'un.
2. *zénith* : point le plus haut de la trajectoire du soleil.
3. *pourpoint* : sorte de veste près du corps.
4. *incongruités* : paroles déplacées.

– Quand vous voudrez, Monsieur, dit Athos en se mettant en garde.

– J'attendais vos ordres », dit d'Artagnan en croisant le fer.

Mais les deux rapières[1] avaient à peine résonné en se touchant, qu'une escouade[2] des gardes de Son Éminence[3], commandée par M. de Jussac, se montra à l'angle du couvent.

« Les gardes du cardinal ! s'écrièrent à la fois Porthos et Aramis. L'épée au fourreau, Messieurs ! l'épée au fourreau ! »

Mais il était trop tard. Les deux combattants avaient été vus dans une pose qui ne permettait pas de douter de leurs intentions.

« Holà ! cria Jussac en s'avançant vers eux et en faisant signe à ses hommes d'en faire autant, holà ! mousquetaires, on se bat donc ici ? Et les édits[4], qu'en faisons-nous ?

– Vous êtes bien généreux, Messieurs les gardes, dit Athos plein de rancune, car Jussac était l'un des agresseurs de l'avant-veille. Si nous vous voyions battre, je vous réponds, moi, que nous nous garderions bien de vous en empêcher. Laissez-nous donc faire, et vous allez avoir du plaisir sans prendre aucune peine.

– Messieurs, dit Jussac, c'est avec grand regret que je vous déclare que la chose est impossible. Notre devoir avant tout. Rengainez donc, s'il vous plaît, et nous suivez.

– Monsieur, dit Aramis parodiant Jussac, ce serait avec un grand plaisir que nous obéirions à votre gracieuse invitation, si cela dépendait de nous ; mais malheureusement la chose est impossible : M. de Tréville nous l'a défendu. Passez donc votre chemin, c'est ce que vous avez de mieux à faire. »

Cette raillerie[5] exaspéra Jussac.

« Nous vous chargerons donc, dit-il, si vous désobéissez.

– Ils sont cinq, dit Athos à demi-voix, et nous ne sommes que

---

1. rapières : épées longues et effilées.

2. escouade : petit groupe de quelques personnes.

3. Éminence : titre donné à un cardinal ; ici, il s'agit du cardinal de Richelieu, ministre de Louis XIII.

4. édits : décisions prises par le roi ou son ministre ; il s'agit ici de l'édit de 1626 dans lequel Richelieu interdisait les duels.

5. raillerie : moquerie.

trois ; nous serons encore battus, et il nous faudra mourir ici, car je le déclare, je ne reparais pas vaincu devant le capitaine. »

Alors Porthos et Aramis se rapprochèrent à l'instant les uns des autres, pendant que Jussac alignait ses soldats.

Ce seul moment suffit à d'Artagnan pour prendre son parti : c'était là un de ces événements qui décident de la vie d'un homme, c'était un choix à faire entre le roi et le cardinal ; ce choix fait, il fallait y persévérer. Se battre, c'est-à-dire désobéir à la loi, c'est-à-dire risquer sa tête, c'est-à-dire se faire d'un seul coup l'ennemi d'un ministre plus puissant que le roi lui-même : voilà ce qu'entrevit le jeune homme, et, disons-le à sa louange, il n'hésita point une seconde. Se tournant donc vers Athos et ses amis :

« Messieurs, dit-il, je reprendrai, s'il vous plaît, quelque chose à vos paroles. Vous avez dit que vous n'étiez que trois, mais il me semble, à moi, que nous sommes quatre.

– Mais vous n'êtes pas des nôtres, dit Porthos.

– C'est vrai, répondit d'Artagnan ; je n'ai pas l'habit, mais j'ai l'âme. Mon cœur est mousquetaire, je le sens bien, Monsieur, et cela m'entraîne.

– Écartez-vous, jeune homme, cria Jussac, qui sans doute à ses gestes et à l'expression de son visage avait deviné le dessein de d'Artagnan. Vous pouvez vous retirer, nous y consentons. Sauvez votre peau ; allez vite. »

D'Artagnan ne bougea point.

« Décidément vous êtes un joli garçon, dit Athos en serrant la main du jeune homme.

– Allons ! allons ! prenons un parti, reprit Jussac.

– Voyons, dirent Porthos et Aramis, faisons quelque chose.

– Monsieur est plein de générosité », dit Athos.

Mais tous trois pensaient à la jeunesse de d'Artagnan et redoutaient son inexpérience.

« Nous ne serons que trois, dont un blessé, plus un enfant, reprit Athos, et l'on n'en dira pas moins que nous étions quatre hommes.

– Oui, mais reculer ! dit Porthos.

– C'est difficile », reprit Athos.

D'Artagnan comprit leur irrésolution.

« Messieurs, essayez-moi toujours, dit-il, et je vous jure sur l'honneur que je ne veux pas m'en aller d'ici si nous sommes vaincus.

– Comment vous appelle-t-on, mon brave ? dit Athos.

– D'Artagnan, Monsieur.

– Eh bien, Athos, Porthos, Aramis et d'Artagnan, en avant ! » cria Athos.

Alexandre Dumas, *Les Trois Mousquetaires*, 1844.

LE SEIGNEUR DES ANNEAUX, DE J.R.R. TOLKIEN

Frodon, le héros chargé de l'anneau, est sur le point d'être dévoré par Arachne ; Sam, son serviteur, intervient.

Frodon était étendu la tête tournée vers le ciel, et le monstre était penché sur lui, tant acharné après sa victime qu'il ne prêta aucune attention à Sam et à ses cris jusqu'au moment où celui-ci fut tout près. Comme il se précipitait, il vit que Frodon était déjà lié de cordes, enroulées autour de lui des chevilles aux épaules, et le monstre, avec ses grandes pattes antérieures, commençait moitié à soulever et moitié à entraîner son corps.

À son côté le plus proche gisait, luisant sur le sol, sa lame elfique, qui était tombée, inutile, de son poing. Sam n'attendit pas pour se demander ce qu'il fallait faire, ni s'il était brave, loyal ou empli de rage. Il bondit avec un hurlement et saisit l'épée de son maître de sa main gauche. Puis il chargea. Jamais on ne vit attaque plus furieuse dans le monde sauvage des bêtes, où une petite créature désespérée armée de ses seules petites dents sautera sur une tour de corne et de cuir qui se tient au-dessus de son compagnon tombé.

Dérangée comme de quelque rêve avide[1] par son petit hurlement, elle tourna lentement vers lui l'horrible malignité[2] de

---

1. *avide* : vorace, affamé.

2. *malignité* : méchanceté.

son regard. Mais presque avant qu'elle ne prît conscience que déferlait sur elle une furie plus grande qu'aucune qu'elle eût connue depuis d'innombrables années, l'épée brillante mordait dans son pied et tranchait la griffe. Sam sauta dedans, dans l'arche de ses pattes, et, d'un rapide coup de bas en haut, il visa de son autre main les yeux en grappe de la tête baissée. Un grand œil s'enténébra.

Le malheureux se trouvait alors juste sous elle, hors de portée de ses piqûres et de ses griffes. Sa vaste panse le dominait, avec sa lueur putride[1], et la puanteur l'abattait presque. La furie de Sam tint pourtant assez pour lui faire porter encore un coup, et, avant qu'elle ne pût se laisser tomber sur lui et l'étouffer lui et son impudent[2] petit courage, il la sabra de sa brillante lame elfique[3] avec une force désespérée.

John Ronald R. Tolkien, *Le Seigneur des anneaux*, tome III,
traduction de Francis Ledoux, Christian Bourgeois, 1992.

Frodon dans *Le Seigneur des anneaux. Le retour du roi*, film de Peter Jackson (2003) réalisé d'après le roman éponyme de J. R. R. Tolkien.

---

1. *putride :* qui est en cours de putréfaction, en décomposition.

2. *impudent :* insolent.

3. *elfique :* qui a été fabriqué par les elfes.

Bibliographie et filmographie

D'AUTRES LIVRES DE THÉOPHILE GAUTIER

Un roman : *Le Roman de la momie*, 1857.
Des contes fantastiques : *La Cafetière et autres contes fantastiques*, 1831, coll. « Bibliocollège », n° 19, Hachette Livre, 2000.
Des poèmes : *Émaux et Camées,* 1852.

LIVRE SUR THÉOPHILE GAUTIER

B. Delvaille, *Théophile Gautier,* coll. « Écrivains d'hier et d'aujourd'hui », Seghers, 1968.

D'AUTRES ROMANS DE CAPE ET D'ÉPÉE

Alexandre Dumas, *Les Trois Mousquetaires*, 1844, suivi de *Vingt Ans après,* 1845.
Alexandre Dumas, *Le Conte de Monte-Cristo*, 1846.
Paul Féval, *Le Bossu,* 1858.
Michel Zévaco, *Pardaillan* (série), 1902.
Michel Zévaco, *Le Capitan,* 1906.

FILMOGRAPHIE

Le Capitaine Fracasse, Abel Gance, 1942, avec Fernand Gravey.
Le Capitaine Fracasse, Pierre Gaspard-Huit, 1961, avec Jean Marais.
Le Voyage du Capitaine Fracasse, Ettore Scola, 1990, avec Vincent Perez.